LE SENS DE LA VIE ?

Isabelle Clément

Avec la collaboration de Nancy Langevin

Le sens de la vie?

46 figures marquantes vont au fond des choses

FIDES

Une partie des profits des ventes de ce livre sera versée au Dispensaire diététique de Montréal.

Photographe : Isabelle Clément
www.isabelleclement.com
icphoto@videotron.ca

Collaboratrice : Nancy Langevin
www.nancylangevin.com
nlangevin@videotron.ca

Stagiaire : Isabelle Kapsaskis
Rédaction des présentations : Nathalie Guimond
Traitement d'images : www.espacephotos.com

Direction éditoriale : Guylaine Girard
Direction de la production : Carole Ouimet
Direction artistique : Gianni Caccia
Infographie et mise en pages : Bruno Lamoureux

Catalogage avant publication de Bibliothèque et Archives Canada

Clément, Isabelle, 1972-

Le sens de la vie ? 46 figures marquantes vont au fond des choses

ISBN-13: 978-2-7621-2739-3
ISBN-10: 2-7621-2739-4

1. Vie - Philosophie. 2. Vie spirituelle. 3. Personnalités - Québec (Province) - Entretiens. 4. Personnalités - Québec (Province) - Ouvrages illustrés. I. Titre.

BD431.C53 2006   113.'8   C2006-941550-1

Dépôt légal : 4ᵉ trimestre 2006
Bibliothèque et Archives nationales du Québec
© Éditions Fides, 2006

Les Éditions Fides reconnaissent l'aide financière du Gouvernement du Canada par l'entremise du Programme d'aide au développement de l'industrie de l'édition (PADIÉ) pour leurs activités d'édition. Les Éditions Fides remercient de leur soutien financier le Conseil des arts du Canada et la Société de développement des entreprises culturelles du Québec (SODEC). Les Éditions Fides bénéficient du Programme de crédit d'impôt pour l'édition de livres du Gouvernement du Québec, géré par la SODEC.

IMPRIMÉ AU CANADA EN FÉVRIER 2007

À maman et à René

Vous êtes mes guides fidèles et une source inépuisable d'amour.

Préface

Quand on devient une maman, il se passe quelque chose de mystique, quelque chose de plus grand que nous, quelque chose d'universel qui nous met en lien avec des milliers de femmes de tous les pays à travers le temps, à travers l'histoire – un lien de compassion et de solidarité. C'est parce que je suis une maman que j'ai décidé de me joindre au Dispensaire diététique de Montréal (DDM). Pour être solidaire avec ces milliers de femmes qui, chaque année, y trouvent soutien, respect et dignité.

Accepter d'être partenaire avec la photographe Isabelle Clément dans son projet consacré au *sens de la vie* allait de soi pour le DDM, car la mission de notre organisme s'inscrit tout naturellement dans ce sens. En effet, promouvoir la santé des femmes enceintes à faible revenu, c'est non seulement donner à leurs bébés un bon départ dans la vie — égal à celui d'enfants de milieux mieux nantis —, mais aussi les doter d'une assurance-santé à long terme en prévenant des problèmes de santé comme l'obésité et le diabète. C'est briser le cycle de la pauvreté et du désespoir. C'est « nourrir la vie ». En vous procurant ce livre, vous mettez l'épaule à la roue et contribuez à la santé et au bonheur d'un nouveau-né. Pour la suite d'un monde meilleur !

Pour chaque être humain, le *sens de la vie* prend une couleur particulière, unique. C'est ce que célèbrent dans cet ouvrage les quarante-six personnalités qui y prêtent leur voix et, sous différents registres, partagent leur vision, leur façon de concevoir le chemin qui est le leur. Nul doute que cette magnifique réalisation vous procurera autant de plaisir du cœur que de plaisir des yeux.

PASCALE BUSSIÈRES, *porte-parole du DDM*

Avant-propos

Plus jeune, j'ai rêvé ma vie, sereine, sans embûches, et avec des attentes à satisfaire, des objectifs à atteindre. J'ai connu au cours des années quelques déceptions certes, mais rien de très marquant. Tout me prédestinait à cette voie magnifique que je m'étais imaginée telle une ligne droite, et ce naïvement, car jamais dans mes plans il n'y avait eu de place pour un événement triste. Au moment où je m'y attendais le moins, la vie m'a envoyé des

apprentissages douloureux. Mes idéaux et mes rêves en ont été meurtris, mes repères anéantis. Ma force, mon sens de l'humour, mon optimisme, ma foi, une partie de ce qui me définissait jadis a été envahie par l'abattement, la colère, la tristesse, le doute. Ces moments difficiles de ma vie personnelle s'inscrivaient sur fond des malheurs du monde, et tout venait me heurter de plein fouet: l'individualisme, le matérialisme, les abus de pouvoir, la pollution, la maladie, la famine, la violence faite aux autres et notamment aux enfants. Entre autres grands malheurs de notre temps, l'effritement de la famille m'ébranlait particulièrement, et j'y voyais un autre trait du monde parfois incompréhensible dans lequel nous évoluons. J'ai senti un grand vide en moi que seule venait combler la présence de ma petite fille. J'ai aussi éprouvé un réel désarroi face à ce petit être qui grandissait à côté de moi: comment allais-je trouver les bons mots, ceux qui rassurent, pour répondre à ses propres interrogations face à la vie?

Devant le non-sens de la vie, je cherchais donc des réponses. Par ailleurs, j'ai abordé ce projet de livre à des fins thérapeutiques. Une sorte d'instinct de survie m'y poussait. Dans ma nature profonde, j'aime côtoyer les gens, monter des projets un peu fous, faire de la photo. Ayant perdu le sens de ma vie, j'ai voulu le retrouver par la création. Un parcours, un pèlerinage, une quête, il fallait que je me sorte de ma torpeur, de ma routine, de cette période sombre. Je voulais rencontrer des gens qui ont vécu des expériences significatives, des personnalités qui se démarquent et qui ont tant à dire. Pour me démêler, me ramener à quelque chose d'essentiel. Puis, j'ai eu l'idée de leur poser LA question, l'incontournable, l'audacieuse, l'énigmatique : quel est le sens de la vie ? Je souhaitais aller frapper à la porte de ces personnes que j'estime pour avoir des repères, des indices sur le sens de cette vie.

Très rapidement, en compagnie de ma chère amie Nancy Langevin, le projet de ce livre est né. En effet, il me fallait une alliée, quelqu'un qui croyait autant que moi à cette idée de grande envergure. Quelqu'un en qui j'ai trouvé cette complicité, cette sensibilité, ce soutien nécessaire pour convaincre et réunir quarante-six personnalités de tous les horizons autour de cette prise de conscience. Ces personnalités, nous sommes allées les chercher du côté des arts visuels, de la télé, de la radio, dans le monde du journalisme, du théâtre, des lettres, dans les sciences humaines et sociales, en médecine, dans le monde du sport, des affaires et dans celui de la chanson, dans la politique, la religion et chez les humoristes. Bref, dans des domaines divers voire hétéroclites de façon à avoir accès à tout le prisme des regards sur cette question fondamentale. Le travail social entre autres occupe une place importante dans ce livre, car c'est justement un domaine où l'on retrouve des personnes qui consacrent leur existence à aider les autres et qui manifestent un dépassement total d'eux-mêmes. Par exemple, il est intéressant de lire tour à tour le texte de la sage-femme qui accueille les nouveau-nés dès leurs premiers instants et celui de l'infirmier de la rue qui accompagne souvent les malades jusqu'à leur dernier souffle. Ce livre permet aussi de poser un nouveau regard sur des personnalités connues qu'on voit dans les médias, à la télé et ailleurs. À la différence qu'ici on ne leur demande pas de parler du dernier disque ou du dernier article paru ou encore du dernier discours politique, on leur pose une question unique, fondamentale, la plus humaine qui soit. Tous confrontés à la même question, plusieurs ont trouvé l'exercice difficile et très prenante l'exigence d'aller au fond des choses. Le résultat est intrigant, saisissant. Comme une ouverture privilégiée sur leurs pensées profondes, sur leur monde intérieur, sur ce que les médias montrent rarement. C'est pour ressentir cette précieuse authenticité que nous avons préféré le texte écrit à l'entrevue. Chacun a eu à répondre à la question posée en rédigeant son propre texte. Nous ne voulions pas d'homogénéité, de réponses toutes faites sur le même moule avec un journaliste qui mène le bal. Nous souhaitions mettre en valeur la grande diversité des personnages, à la fois dans ce qu'ils avaient à dire et dans la manière dont ils le diraient. Ce livre est une connexion directe, sans filtre, sur ce qu'ils pensent profondément.

Il en va de même pour l'aspect photographique du livre. Je désirais aller au-delà des apparences, transcender les images habituelles, photographier les personnalités dans le contexte de leur quotidien, capter d'elles et d'eux l'image la plus naturelle possible. Je les voulais sans défense, abandonnés, disponibles et vrais. Ce qui m'importait surtout dans ma prise de vue était d'intercepter l'émotion d'une belle rencontre dans l'action. Donc, ma mission était de créer des images qui parlent. De briser la glace et d'aller à la rencontre véritable de ces personnes. Pour ce faire, je suis allée les photographier dans leur milieu de travail, chez eux, dans la nature, dans leur intimité. J'ai beaucoup voyagé durant ces deux années partout à travers le Québec, je suis littéralement partie à leur recherche.

Lorsque je me repasse le film de cette saga photographique, je vois des personnalités de tous les âges, provenant de différents milieux culturels et professionnels. Des images se superposent les unes aux autres... Je me souviens de ses mouvements de danse improvisés et passionnés. De ses ricanements contagieux alors qu'il taquinait les oreilles de son chien. De son expression épanouie en forêt avec son attirail de bûcheronne. De ses milliers de mimiques en chasseur converti et de mon incapacité à retenir mes fous rires. De sa musique fabuleuse en concert et de ses paroles enivrantes. De son écoute attentive auprès des jeunes démunis. Je ressens encore le rythme endiablé et vibrant des percussions lors d'une soirée en sa compagnie. J'ai en mémoire le goût du mélange surprenant mais irrésistible de sa sauce à spaghetti avec une petite gorgée d'eau d'érable en entrée. Je les vois chanter durant toute la session photo avec une énergie débordante. Je l'entends encore me raconter des histoires dignes de son imagination pour me faire entrer dans son univers enchanté. Parfois j'ai eu peur, et oui même avec ce pilote chevronné, jamais je ne me sentirai à l'aise à bord d'un Cessna ! Aussi, j'ai eu la nausée à la Ronde, trop vieille, je suppose, pour laisser les manèges brasser mon corps et mon boîtier dans toutes les directions ! En Abitibi, j'ai essayé d'aborder un orignal à l'intérieur de son refuge, or sa curiosité et ses tentatives de rapprochement m'ont quelque peu intimidée. Je revois aussi la route, tous les chemins qui m'ont menée vers eux, aux quatre coins de la province. Des paysages urbains, des parcs, des ponts, des cours d'eau, de la verdure. La météo changeante ; des orages intermittents, des passages nuageux entrecoupés par l'apparition du soleil, de la pluie fine à des grosses gouttes, du froid figeant à la présence d'une chaleur sublime. Que d'aventures lors de ces rendez-vous, et j'en passe.

Quand on est rêveuse comme je le suis, ce n'est pas toujours évident de vivre dans le moment présent. Un rêveur idéalise sa vie dans ce qui s'en vient dans le futur avec des objectifs parfois inaccessibles. « Je vais être heureuse quand j'aurai fait cela, quand j'aurai obtenu ceci, quand j'aurai changé cela. » Cette fuite en avant, je l'ai vécue. J'ai voulu combler un vide en courant après des mirages, en croyant que mon bonheur se trouvait toujours ailleurs. Les personnalités du livre ont des vies fort remplies, elles ont réalisé de grandes choses, elles comptent parmi les figures de proue de la société. Et elles ont aussi traversé leur part de tourments. Je leur ai demandé d'écrire quelques lignes sur le sens de la vie, elles m'ont donné des clés pour goûter l'instant présent, pour parler du don de soi, pour s'émerveiller du beau, si petit soit-il. Elles parlent de la simplicité, de l'humilité, du dévouement, de l'altruisme. Les réponses sont diverses, mais elles puisent toutes à un essentiel qui les unit. Elles témoignent du plaisir d'être vivant et de prendre le temps d'en jouir. Elles proposent de lâcher prise, d'apprécier ce qu'on a et de ne rien tenir pour acquis.

Durant les deux ans qu'a duré l'élaboration de ce projet, il y a eu des jours gris où ça ne tournait pas rond. Ces jours-là, quand je recevais un nouveau texte et que je le lisais, j'y trouvais un tel réconfort que toute ma journée s'en trouvait transformée. Je souhaite que ce livre ait le même effet sur vous. Qu'il soit un compagnon, une source d'inspiration, un encouragement, un lien de solidarité avec quarante-six personnalités qui ont pris le temps de réfléchir sur le sens de la vie.

Enfin, qu'il vous permette de réaliser qu'on est tous quelque part à bord d'un immense vaisseau et qu'au fond on n'est pas aussi seul qu'on croyait l'être…

ISABELLE CLÉMENT
Août 2006

Cette fois-ci, les membres du groupe sont allés au parc sans leurs enfants et en ont profité pour se remémorer ce refrain : *Les douze mois de l'année sont janvier, février, mars, avril...*

Mes Aïeux

C'est l'histoire de six amis qui avaient un désir fou de brasser la cabane. Cinq gars et une fille, les membres de Mes Aïeux écrivent des chansons qui revisitent les contes et les légendes de notre patrimoine à travers une lorgnette actuelle. Avec fougue, humour et complicité, nul doute qu'ils ont conquis le cœur d'un vaste public.

Mes Aïeux étant un collectif, ce qu'on vous propose comme réponse à la Question à 5000 piastres, c'est une courtepointe de petites réflexions qui, cousues ensemble, commenceront peut-être à ressembler à un début de réponse. Allez, on se débouche une bonne bouteille et on se fait un tour de table...

FRÉDÉRIC • S'il y a un sixième sens, selon moi, c'est le sens de la vie. C'est la faculté de créer un raisonnement sensible permettant de supporter le poids de l'existence. Donner un sens à ce qui se présente dans ma vie, c'est décider d'être l'acteur de mon existence. Ce qui lui donne un sens, c'est la volonté que j'ai de lui en donner un. Pour moi, c'est cette volonté qui correspond à l'idée du bonheur.

MARC-ANDRÉ • Le sens de la vie varie en fonction du temps. Le sens que j'y donne aujourd'hui n'est plus celui de mon enfance. Le sens évolue, les perceptions changent avec les multiples expériences qui jalonnent ma vie. Les expériences heureuses, celles du commencement, des naissances, des réussites, de l'amour, de la joie et du bonheur. Mais aussi celles parfois absurdes et injustes de la maladie, de la mort, de la perte d'êtres aimés. Toutes ces expériences en forgent le sens. Parmi ces cycles qui n'ont de limites que notre imagination, nous sommes constamment à la recherche du sens de notre propre existence. Trouver le sens de sa vie. Voilà un beau défi. Je pense aujourd'hui qu'une partie de la réponse est de donner la vie et de laisser en héritage le meilleur de soi à ses enfants.

MARIE-HÉLÈNE • D'abord le vertige... Je suis sur un fil... Si le funambule cesse de chercher son équilibre ne serait-ce qu'une seconde, il tombe. Alors ici et maintenant, je cherche mon équilibre. Le sens de ma vie, c'est un petit bonhomme de deux ans. C'est ma famille, mes amis, mes proches, mon amoureux et c'est l'autre. L'autre avec un grand L apostrophe, celui qui m'inspire, me confronte, m'émeut, celui de qui j'apprends et celui à qui je donne... Apprivoiser l'inéluctabilité du grand cycle, des millions de petites morts, de l'infiniment grand et de l'infiniment petit. Reconnaître que je ne sais pas. Pardonner l'absurdité... Ça ressemble à l'amour, ça ressemble à la foi.

BENOÎT • J'inspire... j'expire... au-delà des mots, des concepts et des dogmes, je cherche dans un silence qui me relie à tous les êtres vivants... J'inspire... j'expire... la plus belle des mélodies se cache dans ce silence...

ÉRIC • La vie est un cadeau qui se laisse développer tranquillement. On commence par découvrir ce qui nous entoure et, peu à peu, qui nous sommes. Tout plein de questions sans réponses nous trottent dans la tête. « Comment se fait-il que c'est moi qui suis dans ce corps et quelle est ma fonction dans l'univers ? » « Pourquoi moi ? » Probablement pour découvrir, raisonner, contempler et partager cette fascinante expérience qu'est la vie. Et à force de tourner la question dans tous les sens, on en arrive peut-être à l'essentiel : il faut vivre. Vivre nos joies, nos deuils, nos échecs, nos amours. Vivre en paix avec soi-même et les autres.

STÉPHANE • C'est une quête. On le cherche. On croit l'avoir trouvé et il nous échappe. On se remet à le chercher, puis il se dérobe encore. C'est qu'il est vlimeux, le sens de la vie... Remarquez, c'est pas plus mal : tant qu'on cherche, on est en vie. Et tant qu'à passer sa vie à chercher, aussi bien le faire en bonne compagnie. Le seul fait d'être en groupe et de tenter de répondre tous ensemble aux mêmes questions nous donne parfois la bienheureuse impression de faire les choses pour les bonnes raisons. Le groupe. La famille. Être un individu unique et faire partie d'un tout. Une union. Unir nos forces pour faire un peu de bien autour de soi. Puisqu'on est tous dans le même bateau, celui de la grande aventure humaine sur la terre, ramer tous ensemble dans le même sens... Mais dans quel sens ? Celui de la vie... Le sens de la vie c'est par en avant !

Bernard Arcand

Cet anthropologue et professeur a bien des cordes à son arc et plusieurs domaines de recherches à sa cartographie professionnelle. Si on y regarde de plus près, il s'intéresse surtout aux aspects politesse, bienséance et simulacre de la culture. Bernard Arcand est notamment l'auteur de l'excellent livre *Le Jaguar et le Tamanoir. Vers le degré zéro de la pornographie* (Boréal, 1991).

On vient de loin

Nos lointains ancêtres auraient cessé d'être bêtes pour devenir humains le jour où ils ont creusé la première tombe. Du moins, c'est ce que nous disent les spécialistes de la très haute préhistoire. Prendre soin d'un mort et l'ensevelir avec délicatesse, c'était affirmer que l'individu décédé n'avait pas encore atteint le terme de son existence. Placer à ses côtés des armes, des vêtements et un peu de nourriture, c'était lui souhaiter bon voyage. Depuis lors, les humains ont souvent maintenu que leurs malheurs étaient passagers et qu'une bonne conduite leur mériterait plus tard une récompense éternelle.

L'argument est parfaitement raisonnable, mais on peut regretter que l'avenir ait pris toute la place, au détriment du passé. Inquiets de ce qui allait se produire, nos ancêtres ont trop rarement porté attention à l'autre pôle de l'équation. D'où venons-nous? Sommes-nous venus au monde à la suite d'un long voyage? Étions-nous ailleurs, antérieurement? D'où nous vient cette ADN qui occupe nos chromosomes et depuis quand se promène-t-elle sur terre? Combien d'actes d'amour et combien de violences ont précédé notre naissance?

Réfléchir sur l'autrefois incite à voir la vie comme un heureux hasard et un prêt passager. Ce qui, du coup, nous éloigne des sinistres préoccupations de préarrangement funéraire pour nous engager plutôt à traiter chaque journée comme un joyeux anniversaire. «Que la fête commence!» diraient tous ceux qui ont encore de la mémoire.

Il vient de quitter des collègues venus célébrer le quarantième anniversaire du département d'anthropologie et de sociologie de l'Université Concordia.

Ils sont déjà ailleurs en train de pédaler quelque part, là où les paysages vous coupent le souffle.

Pierre Bouchard et Janick Lemieux

Pierre Bouchard et Janick Lemieux sont deux reporters globe-trotters québécois qui parcourent la planète à vélo. Ils vivent ainsi de leur passion en écrivant des articles pour des revues spécialisées et en donnant des cycles de conférences sur leurs périples ; la dernière est la conquête des volcans du Cercle de Feu du Pacifique.

L'*homo sapiens* serait le seul animal capable de conscience réfléchie, cette disposition à se saisir dans l'action, à suspendre la mouvance du temps pour se demander : « Mais qu'est-ce que je fais ici ? »

Cette question que se pose l'humanité, lancée au cours d'un monologue monumental ou d'un dialogue de sourds, ne trouve toujours pas de réponse absolue, une explication qui ferait l'unanimité entre tous les humains. Nous naissons et nous mourons. Voilà un constat duquel jaillissent maintes inquiétudes et interrogations. Quels desseins sert notre durée entre ces deux événements, notre passage sur terre ? On a émis toutes sortes d'hypothèses visant à rendre compte de l'aventure humaine dans son intégralité, à lui donner un sens. Qu'elles aient été érigées en dogmes, en principes moraux et même en lois promulguées par des dieux et des hommes, elles sont surtout invérifiables. Mais après des millénaires de cogitations et d'élucubrations, il ressort que ces tentatives ne sont toujours pas parvenues à apaiser notre vertige existentiel, notre soif d'absolu : le mystère de notre origine et de notre destination comme celui du sens de la vie demeurent entiers ! Ce qui n'est pas sans ajouter un peu de piquant à nos existences…

Si la réponse à la question du sens de la vie semble nous échapper, chaque individu s'évertue pourtant à donner un sens à sa propre existence, à la justifier et à la doter ainsi d'une raison d'être. Au cours de nos voyages, expéditions et séjours à la maison, nous avons côtoyé des personnes qui se démènent et respirent pour toutes sortes de motivations, conscientes ou non. Pour les uns, il s'agit de veiller à l'épanouissement et au bien-être de sa progéniture ; de se dévouer corps et âmes à une cause qui profite à un plus grand nombre ; de préserver notre environnement et ses espèces aussi ; d'œuvrer pour promouvoir la paix entre les hommes ; de faire avancer les connaissances scientifiques pour améliorer nos conditions de vie. Altruistes, ils ont en commun l'amour de leur prochain et le respect de la vie qui foisonne autour d'eux. Pour d'autres, c'est l'accumulation de richesses matérielles, l'augmentation de leur propre puissance qui semble donner un sens à leur existence… Égoïstes, centrés sur eux-mêmes, mais néanmoins « justifiés » face à l'éternel.

Au fil de nos pérégrinations, nous avons observé que certains puisent dans leur foi en un être divin le sens de leur existence tandis que d'autres semblent s'accommoder fort bien de l'absurde. Quant à nous, il s'agit de créer une solidarité toute humaine, voire une fraternité. Faire prendre conscience qu'étant donné les conditions qui nous assujettissent et nous unissent, mieux vaut vaquer à se réconforter et à s'entraider les uns les autres. À travers la découverte et l'exploration de notre planète, surtout la rencontre de ses habitants, nous croyons pouvoir y contribuer modestement en tissant des liens entre les hommes. Quand un Gaspésien se familiarise et sympathise avec les us et coutumes d'un nomade des steppes de Mongolie après avoir assisté à l'une de nos conférences, lu un de nos articles, tendu l'oreille à l'un de nos témoignages, reconnaissant en lui un pair soumis aux mêmes besoins et questionnements auxquels il répond à sa manière, ou quand un Papou tirant sa subsistance de la jungle et du lagon cernant son village fait la même réflexion à l'égard des Québécois suite aux échanges avec ce drôle de couple débarqué sur des vélos surchargés, un léger et passager sentiment de béatitude nous envahit…

Sylvie Boucher

Cette comédienne émouvante est également douée comme chanteuse et danseuse. On reconnaît surtout Sylvie Boucher par le rôle d'Élisabeth du *Monde de Charlotte*, devenu *Un monde à part*. Elle prête maintenant sa générosité et sa très belle voix au Chaînon, maison d'hébergement pour femmes en difficulté.

La vie a le sens qu'on veut bien lui donner. Parfois elle est dans le sens du poil, parfois à sens unique, parfois sens dessus dessous ; souvent, elle n'a pas de bon sens, mais elle n'est jamais vide de sens. Ce que je veux dire, c'est que nous sommes les créateurs de notre vie. Nous sommes totalement responsables de ce qui nous arrive. De toute façon, quand on rend les autres responsables de nos malheurs, on leur donne le pouvoir de nous manipuler, ce qu'ils font avec joie et empressement.

La vie nous lance constamment des défis. C'est sa « job ». Elle repousse nos limites, elle confronte nos peurs, mais, en même temps, elle nous donne les outils nécessaires pour y arriver. Par exemple, elle fait tomber à nos pieds un livre que nous devons lire, elle met sur notre chemin une personne qui répondra à nos questions. Parfois même, il y a un message caché dans les paroles d'une chanson qui joue à la radio. À nous de rester ouverts et de saisir les occasions. Le but, c'est de devenir une meilleure personne chaque jour.

La vie n'a de sens que si elle est vécue à fond, avec passion. Chaque minute compte parce que le seul non-sens de la vie, c'est la mort.

Les musiques du monde l'ont conquise et c'est
à l'école Samajam qu'elle se fait plaisir.

Elle est sans contredit un témoin privilégié des premiers battements de cœur de la mère pour son nouveau-né.

Isabelle Brabant

Sage-femme depuis vingt-sept ans, Isabelle Brabant exerce son travail à la Maison de Naissance Côte-des-Neiges. Sensible à toutes les questions entourant la maternité, elle est active depuis le début dans le mouvement d'humanisation des naissances et dans le processus de légalisation de sa profession au Québec. Elle est également l'auteure de *Une naissance heureuse* (Éditions Saint-Martin, 1991 ; 2001).

À quoi pense un bébé quand il sent que le vent se lève, le grand vent qui le poussera à traverser sa mère, de vague en vague, vers sa nouvelle vie ?

Mon travail m'amène à être témoin privilégiée de ce voyage et à accueillir ce petit humain, après des heures parfois des jours de périple, après avoir accompagné sa mère au moment où elle plonge dans ce travail immense de la mise au monde, dans l'intensité des sensations, des émotions.

Je pense à lui, à elle, dans son vaisseau vivant, qu'il quittera bientôt pour ce qui lui semblera peut-être une autre planète, ou certainement un autre continent. Comment sait-il que la vie, *sa* vie, se trouve au bout de ce long couloir obscur qui l'enserre pour une dernière étreinte ?

Le bébé participe complètement à sa naissance : il n'est pas un petit passager passif qui se ferait pousser sur la grève, inerte et démuni. Il bouge, il tourne sur lui-même selon une trajectoire et des angles dessinés depuis la nuit des temps. Il est à la fois déterminé et flexible, dans la direction comme dans le mouvement. Il cherche dans le corps de sa mère les signes indicateurs du chemin à suivre : ici un endroit plus moelleux qui le laisse s'enfoncer un peu plus, là un espace qui l'invite à faire pivoter doucement sa tête. Et il avance ainsi, sans carte, sans « lumière au bout du tunnel », entièrement tourné vers sa vie qui ne peut continuer qu'en sortant de ce ventre qui l'a pourtant porté et nourri jusqu'ici, en renonçant au seul monde qu'il connaisse.

Je suis encore et toujours émerveillée du travail généreux des mères qui s'ouvrent du mieux qu'elles le peuvent pour laisser naître leur bébé. Je le suis tout autant des bébés eux-mêmes, de leur confiance indéfectible dans ce que la vie leur réserve. Leur courage m'inspire quand je me prends à douter.

Georges Brossard

Il est épris depuis toujours des splendeurs de la vie en minuscule. Il entreprend d'abord une carrière de notaire, qu'il délaissera pour revenir à temps plein à sa première flamme, vers la fin de la trentaine. En comptant celui de Montréal, Georges Brossard a fondé cinq insectariums à travers le monde. L'entomologiste a capturé quelque 500 000 insectes dans pas moins de 140 pays.

La vie, c'est unique !

Et pourtant, combien d'entre nous feront un détour pour mieux écraser un petit insecte au sol ? Quel geste d'orgueil insensé ! Qui sommes-nous, tard venus sur cette planète, pour décider que cette vie, si petite soit-elle, n'a pas sa raison d'être, son utilité, sa nécessité ?

Quelle attitude insignifiante bien propre à la domination de l'*Homo sapiens* !

Voyons donc !

Toute vie a un sens…

Ce n'est pas parce que l'on est petit que l'on n'a pas d'importance, de valeur, d'utilité !

Rien ne vaut plus que la vie.

L'insecte que l'on écrase comme cela bêtement au sol est peut-être un papa, une maman qui à son tour donnera naissance à la vie !

La vie, c'est grand, c'est beau, c'est spécial, c'est un privilège.

On a envoyé des expéditions interplanétaires partout pour tenter de découvrir une trace de vie ailleurs que sur la planète Terre et toutes sont revenues bredouilles !

Serait-ce que la Terre a le privilège exclusif d'abriter la vie ?

Pensons-y deux fois avant de mettre fin à une vie, car alors on détruit ce qu'il y a de plus précieux sur terre.

Le scarabée *Megasoma elephas* du Costa Rica s'agrippe ainsi pour ne pas tomber dans la nature et devenir une proie facile pour ses prédateurs.

Que de bonne humeur, de chaleur et d'optimisme lors des rencontres qui rassemblent cette famille inspirante !

Jean-Marc Chaput

Conférencier et motivateur corporatif, il nous exhorte à sortir du rang, à choisir le bonheur avant tout et à refuser ce qui semble aller de soi. Politiquement incorrect, Jean-Marc Chaput ? Certainement. Il est l'auteur de plusieurs best-sellers et articles sur les sujets qu'il affectionne particulièrement : la vie, l'homme, la peur et l'amour.

Un sens : une famille !

Il n'y a pour moi qu'un sens à ma vie : ma famille ! Au risque de passer pour un vieux « passé date », j'aurai vécu pour une seule raison : transmettre à mes cinq enfants et à mes vingt et un petits-enfants le goût de la vie et la volonté de mordre à pleines dents dans cette vie.

Or, dans une édition spéciale de la revue *L'actualité*, publiée le 15 décembre 2005, « 101 mots pour comprendre le Québec », les mots « sens » et « famille » ne sont pas commentés. J'en étais extrêmement surpris. D'abord, je suis convaincu que tout Québécois, tout être humain naît avec une raison d'être inscrite au plus profond de lui-même. Comment le mot « sens » a-t-il pu échapper aux quatre-vingt-dix spécialistes, d'autant plus que ce numéro spécial visait à nous aider à construire le Québec de demain ? Cela demeure un mystère. En deuxième lieu, on a omis ce qui a fait le Québec tel qu'on le connaît et tel qu'il sera : la famille québécoise ! Peut-être suis-je vraiment une relique du passé, mais je ne le pense pas.

« Le monde du Québec a évolué ! Jadis, on naissait et on mourait dans la même maison et la famille était un havre protégé où l'on apprenait à aimer dans un monde marqué par la faim et les interdits. Aujourd'hui, on naît à l'hôpital et on meurt dans un centre d'accueil et la famille est le milieu où l'on apprend à obéir dans un monde marqué par les distractions et la permissivité. Plus libres, plus autonomes que jamais, les individus échappent facilement à la famille » (*L'actualité*, 15 novembre 1996, p. 30). A-t-on vraiment progressé à ce point en éliminant la valeur famille ?

Je ne suis pas le seul à partager cette valeur, cette ligne directrice. Le 21 novembre 2005 à l'émission *Le Point* de Radio-Canada, un ex-haut-fonctionnaire congolais racontait les difficultés qu'il éprouvait à gagner sa vie et celle de sa famille de sept enfants au Québec, malgré tous ses diplômes. On lui a alors demandé : « Que voulez-vous vraiment ? » Et lui de répondre : « Être utile pour ma famille et pour le pays qui m'a adopté ! » Pour ce père de famille venu d'un pays d'Afrique, le sens de sa vie, c'était la famille : je partage la même raison d'être !

Le bonheur que tous nous recherchons se résume à trois éléments : vivre dans un groupe avec lequel on partage un sentiment d'appartenance ; vivre avec des gens que nous aimons et avec qui nous avons un sentiment d'affinité très poussé ; et enfin vivre dans un environnement qui colle à la peau. Cela s'appelle une famille. Et c'est ce que je voudrais laisser à ceux qui me survivront, la volonté de bâtir un monde meilleur, un monde de familles qui osent ensemble vivre une vie à sa pleine mesure.

Pierre Chastenay

Enfant, il passait déjà son temps le nez en l'air. Pierre Chastenay est aujourd'hui astronome, auteur et responsable des activités éducatives au Planétarium de Montréal, dont il est le porte-parole. Sans délaisser ses recherches théoriques, il est devenu une personne-ressource auprès des médias et du grand public lorsque les questions cosmiques font la une.

La vie a le sens qu'on lui donne

Nous vivons sur une petite planète en orbite autour d'une étoile banale, située en périphérie d'une galaxie semblable aux centaines de milliards d'autres galaxies qui peuplent un univers démesurément grand… L'apparition de la vie sur cette petite planète bleue est un hasard de plus et les êtres vivants, des véhicules permettant la reproduction et la dissémination des gènes qu'ils transportent… Les êtres humains ne sont qu'un maillon de la longue chaîne des espèces qui évoluent et se transforment. Si nous ne détruisons pas la biosphère bientôt, ces transformations continueront au-delà de nous… Quant à une entité supérieure qui aurait mis toute cette mécanique en mouvement et qui jugerait de nos actions, je n'en vois nulle trace. Les êtres humains et leur conscience sont seuls face à eux-mêmes et à leurs responsabilités. Alors, quel est le sens de la vie? C'est celui que nous voulons bien lui donner: l'amour, le partage, la solidarité, la compassion. Le sens de la vie, c'est également l'héritage de culture et de connaissances que je veux léguer à mes enfants. C'est dans leur mémoire que je toucherai à l'éternité…

À la recherche de licornes en attendant que le soleil se couche, avec sa fille Kim Lan.

Un saule qu'elle avait planté jadis et qui a grandi. Depuis, elle s'y réfugie simplement pour s'évader dans le lointain du fleuve.

Arlette Cousture

Cette romancière a connu le succès en donnant vie à des personnages attachants posés dans un décor historique dans des sagas comme *Les Filles de Caleb* et *Ces enfants d'ailleurs*. Arlette Cousture travaille notamment à sensibiliser le public à la sclérose en plaques, dont elle est atteinte.

J'ouvre les yeux le matin. « Ça y est, une autre journée et je suis vivante ! » Je regarde les premiers rayons de l'aube lécher la voûte et je suis en pâmoison ! Puis je vois le ciel bleuir et les nuages s'y piquer. Les hirondelles folâtrent, les carouges à épaulettes font le guet de leur cèdre, ma chatte miaule son œstrus, le fleuve coulis-coule le long du jardin. Je suis vivante.

Les camelots livrent les journaux. Les nouvelles de la souffrance de la planète sont terribles. Ici on la bombarde, là on l'empoisonne. Ici on tue les derniers survivants d'une espèce qui disparaît, là on coupe les arbres qui sont ses poumons. Ici on pêche, là on chasse, même les chasseurs. Que des nouvelles de souffrance en noir et blanc avec des pubs en couleurs, mais c'est mon monde, mon époque et je n'en connaîtrai pas d'autre. Je suis vivante.

Je vois les gens faire ce qu'ils savent faire, de leur mieux. L'un me parle de la loi qu'il applique, l'autre me vend de la viande bien coupée. L'un me sert un repas mijoté avec art, l'autre m'offre un tableau peint avec talent. L'un rentre d'une visite à sa mère malade, l'autre sort les meubles qui lui appartiendront après le partage des souvenirs d'une vie familiale. Je suis vivante.

Je ne saurais passer sur cette planète sans en connaître au moins chacun des continents. Voir l'homme semer et récolter son jardin, mettre la porte devant l'ouverture de sa maison, s'appliquer à vivre son plaisir et souffrir ses tourments avec les moyens de son âme et de sa conscience. Je ne vois pas ma vie comme un tremplin qui me fera plonger dans l'au-delà. La vie est une longue ligne pointillée qui, vue de loin, ressemble à une ligne pleine, mais de près, à un point de bonheur, suivi d'un point de maladie, puis un autre point de bonheur puis d'angoisse puis d'allégresse, puis, puis, puis, se terminera en un éternel point d'orgue. Tout à l'heure, j'assisterai à des funérailles. Cette vie ne se déclinera désormais qu'au passé. Fini le présent, fini le futur. Mon présent à moi sera dans son passé à elle. Mon présent, dans l'inconscient des autres.

Pour aujourd'hui, quand même, je suis vivante.

Françoise David

Éprise de justice depuis sa jeunesse, Françoise David a trouvé sa voie en découvrant le pouvoir de l'action populaire. Militante féministe, écologiste et altermondialiste, elle a été à l'origine de nombreuses luttes sociales au Québec. Aujourd'hui, elle conjugue ses idéaux en devenant porte-parole de Québec solidaire.

Un enfant noir fait tourner un pneu au bout de son bâton. Aujourd'hui il rit, il y a de quoi manger à la maison. Une vieille dame sourit aux oiseaux, elle a échappé à la guerre. Mon fils m'écrit qu'il est heureux. Mon chum m'aime encore après vingt ans !

Souvenir : après quatorze heures de cris retenus, de halètements, de poussées, mon bébé décide enfin de quitter le confort de mon ventre. Et je découvre l'amour inconditionnel.

Un autre : des centaines de femmes ont marché 200 kilomètres par beau temps et mauvais temps pendant dix jours contre la pauvreté. Elles avancent lentement sur les plaines d'Abraham, entourées de 20 000 personnes brandissant des roses comme autant d'appels à la solidarité.

Un dernier : 200 000 personnes frigorifiées marchent contre la guerre à Montréal. Nous n'avons pas réussi à faire taire les canons, mais nous nous sommes sentis dignes et fiers d'appartenir à la part de l'humanité qui appelle à la justice et à la paix.

Je crois qu'il y a une seule vie. Je la veux donc remplie de gestes vrais, d'amitiés sereines, de débats mordants et respectueux, de défis, de voyages, de beauté. Je la vois pleine des gens qui croient en un autre monde possible, écologiste, égalitaire, juste, et le construisent chaque jour. Sans naïveté.

Le bonheur s'inscrit dans la durée. Sinon, comment ne pas désespérer devant les génocides, les famines évitables, les tueries quotidiennes, les humiliations infligées par les puissants, les mensonges et l'exclusion ? Le bonheur se nourrit de chaque geste qui fait reculer la haine, de chaque parole amicale, de chaque lutte porteuse d'espoir, de ceux et celles que j'aime et qui m'aiment.

C'est tout.

Joie généralisée, car le nom officiel du nouveau parti, Québec solidaire, vient d'être adopté.

Juste avant d'entrer en scène, rêvait-il déjà au *Peuple invisible*, au préambule de son prochain documentaire qui portera sur la nation algonquine ?

Richard Desjardins

On l'aime à la fois pour son intégrité politique et pour sa poésie d'auteur, compositeur et interprète. Après s'être attaqué au problème de la déforestation en menant une enquête sur la situation critique de la forêt québécoise, il a contribué à fonder un organisme, L'Action boréale, qui a pour mission de surveiller l'évolution de ce dossier.

Pour à peu près tout le monde sur cette terre, discourir sur le sens de la vie demeure un grand luxe quand bien même il n'est réservé qu'aux animaux humains. Rester en vie les occupe terriblement. Tant mieux si au long de ce calvaire, des joies viennent leur rappeler que, quelque part, un fragment de paradis pourrait bien les attendre, un citronnier en fleur, une soupe chaude, une nuit d'amour. Dans certaines sociétés, c'est déjà trop. On excise alors les fillettes. Pour à peu près tout le monde, la vie est imbuvable, comme l'eau qui leur est offerte. L'invention de la religion – ou le report du bonheur en d'autres lieux, d'autres temps – a certainement empêché la prolifération de suicides collectifs. Je connais des Inuit qui cotisent à trois religions.

Je suis un Nord-Américain blanc, un descendant de vainqueurs impitoyables et un contemporain d'avaleurs de ressources. Un très bon endroit pour naître. Tant qu'à naître. Il faut le dire, j'ai été maudîtement chanceux. J'écris «été» parce que le gros est derrière moi. À tous les soirs de ma vie, ou presque, j'ai eu droit à un bon repas et à des tendresses. Je côtoie encore des amis hautement intéressants. Et j'ai pu faire grosso modo ce qui me plaisait sans subir de patron. Ce n'est pas rien. En placotant avec mon pote, on se demande: «Combien ça vaut ça, le droit de se lever à l'heure qu'on veut et de choisir son travail?» À peu près 40 000$ par année, qu'on a convenu. Y en a beaucoup des métiers comme celui-là où tu te fais applaudir par cinq cents personnes après ton quart de travail? Privilège. Je le sais.

Je me souviens qu'au collège mes profs prédisaient sérieusement la venue prochaine de la «civilisation des loisirs» qui nous permettrait d'aller jouer au bowling à tous les jours pendant que des robots s'occuperaient de fabriquer les réalités nécessaires à la survie de tous. C'est à peu près ce qui est arrivé, du moins pour le «nous» qui constituions non pas la masse des gens mais une certaine élite, ceux qui «volent avec leurs plumes» comme disait mon père. Les robots, on le voit clairement, ce sont ces Chinois esclavagés comme jamais.

Il en demeure que je suis toujours étonné de voir avec quelle facilité les gens se fabriquent du sens, du carburant pour l'âme. Où qu'ils soient, quoi qu'ils fassent. Y a des prisonniers qui se disent qu'au moins, en dedans, le loyer n'est pas trop cher. Y a des riches héritiers qui réussissent à se convaincre qu'ils ont mérité leur sort. *Carpe diem*! Y en a qui sont contre l'avortement et pour la peine capitale. Je connais un type de trente-huit ans, un gars de sciences forestières, toujours le sourire. Dans son adresse courriel, il y a le chiffre 2040. À un moment donné, je lui demande ce que ce chiffre signifie. Il me dit:« C'est l'année où tout va sauter!» Le détail intrigant avec mon type, c'est qu'il a fait huit enfants. Va savoir. La vie «veut», c'est tout, et les roses, leur parfum, existaient bien avant l'humanité. Et lui survivront.

Alors, moi aussi, je me carbure à ce que je peux. Je viens de lire un graffiti sur un mur de Paris: «Nous ne sommes pas individualistes, nous sommes grégaires et divisés.»

41

Clémence DesRochers

Devenue célèbre avec ses chansons et ses monologues, Clémence DesRochers a tout fait et a touché toutes les couches de la société québécoise par sa personnalité attachante et son franc-parler. Elle puise son inspiration au cœur même du quotidien de ceux qu'on appelle les « gens ordinaires » et a tracé au fil des ans un important panorama de notre société.

Ce matin-là, un jour gris, en mai 2006.

Cette nuit, une bataille d'animaux, avec des cris féroces. Il faudrait bien que je sache qui ils sont: des coyotes, des dindes sauvages, des ratons laveurs?

Je vais chez le coiffeur, un rendez-vous d'au moins deux heures. J'apporte *Le livre de Dina*, tome 2 de Herbjorg Wassmo. Découverte à Paris d'une écrivaine née en Norvège, grâce à Jeanne, qui m'a amenée dans cette librairie spécialisée (écrivains étrangers). Je ne sais pas si Jeanne a commencé un deuxième livre, après 80 *étés*. Quelle belle promenade avec elle, parisienne, dans Montmartre, qu'elle connaît bien.

J'aime Jeanne, j'aime être à Paris avec des amies. C'est la fête.

Je dois faire des spectacles à Québec. J'ai hâte, en même temps, toujours avec angoisse… Mais je crois que je ferai encore de la scène. Ce besoin de me sentir belle, bien maquillée, d'aller rencontrer les spectateurs qui me choisissent, de les faire rire, de les amener dans mon monde. Surtout à Québec où j'expose aussi des dessins. Bonne période de ma vie: j'ai écrit des chansons pour Marie-Michèle D., j'ai un nouveau jardinier qui renouvelle mon environnement et toujours ma fidèle amie Louise, la constance de notre amitié. Elle voit à tout, elle est ma raison d'être, de vivre.

Ce matin-là, un jour gris en mai 2006, voilà ce qu'était ma vie.

C'est au théâtre Le petit Champlain qu'elle joue et qu'elle s'accroche, pour reprendre ses propres termes. On peut aussi admirer à l'occasion ses dessins dans la salle d'exposition.

Fidèle à son pays d'origine, elle ne manque pas ses pratiques de Dranyen, un luth à trois cordes doubles.

Kalsang Dolma

Tibétaine de la diaspora et réfugiée ici, Kalsang Dolma a réussi une mission courageuse et compliquée : traverser l'Himalaya à l'insu des autorités chinoises, pour livrer aux Tibétains un message du Dalaï-Lama. Elle a par la suite contribué à filmer leurs réactions avec les cinéastes François Prévost et Hugo Latulippe. Il en est né un très beau film intitulé *Ce qu'il reste de nous*.

Je suis une réfugiée tibétaine qui a grandi au Québec. Comme tous les jeunes un jour, j'ai essayé d'être quelqu'un d'autre. D'avoir les yeux bleus. De ressembler à ce que je voyais dans les revues de mode. Le temps a passé et je me suis rendu compte de la futilité à vouloir changer d'apparence, et qu'au fond j'allais toujours rester qui je suis. Kalsang Dolma.

Depuis longtemps, je cherchais intérieurement comment contribuer à la cause de mon pays. Par le film *Ce qu'il reste de nous*, j'ai enfin trouvé ma voie. Je veux partager avec le plus de personnes possible les richesses de ma culture. C'est ce qui me donne l'énergie pour continuer à vivre, c'est ce qui me procure une paix intérieure.

Quand on entre dans mon pays de montagnes et de neige, ce qui frappe c'est le ciel turquoise et sans nuage. Puis on découvre l'accueil des Tibétains, souriants malgré l'oppression, prêts à donner aux autres le peu qu'ils ont.

On m'a élevée comme ça. Si on n'arrive pas à aider, essayons de ne pas nuire. C'est la base du bouddhisme. Même quand une mouche tourne autour de moi, au lieu de la frapper, j'essaie de l'attraper et de la mettre dehors !

La lutte non violente pour la liberté, c'est avant tout le respect de la Vie. Malgré l'occupation chinoise, après toutes ces années, l'espoir de mon peuple et son esprit survivent. C'est ce qu'il reste de nous.

J'ai finalement trouvé ma place, je me sens bien, je suis confiante même si le temps presse pour sauver le Tibet.

Lorraine Doucet

Cette femme met tout en œuvre pour que la communauté reconnaisse les aptitudes particulières des personnes ayant des incapacités intellectuelles. Responsable du Service Accès Intégration du Regroupement pour la trisomie 21, cette orthopédagogue a gagné son pari : son fils est le premier adolescent trisomique à obtenir un diplôme de secondaire V, en contexte d'inclusion.

Tous les êtres humains ont droit au respect, à la dignité, à la justice et à l'équité, mais le plus important, c'est qu'ils ont le *droit à la différence*.

Se *sentir merveilleux* dans le *regard de l'autre* en tenant compte des *capacités* de chaque être humain…

Contribuer activement au développement de notre communauté par la valorisation du rôle social que joue chaque être humain…

Accepter que la beauté de la vie réside dans l'imperfection et l'imparfait…

Goûter tous les petits plaisirs quotidiens, aussi différents soient-ils…

Agir auprès de l'autre exactement comme nous aimerions que l'autre agisse auprès de nous…

La forêt vierge, la pureté d'un océan, la beauté d'un pré, ces yeux émerveillés par les choses simples et qui ont du sens…

Voilà l'essentiel de la vie.

Tendre complicité avec son fils, Marco, lors d'un tournoi bénéfice pour la cause.

Bouger dans un décor montréalais industriel fut une première pour la jeune interprète.

Clara Furey

Cette beauté vive et farouche ne peut naître que d'un feu intérieur qui brûle très fort. À la fois danseuse contemporaine, chanteuse, compositrice et actrice, on a pu la voir au grand écran dans *Tout près du sol*, un hommage à la danse réalisé par sa mère, Carole Laure.

La chose la plus vraie

Une virevoltante traînée d'oiseaux, une fois passe, une deuxième fois repart dans l'autre sens. Leur direction, leur sens de la survie, leur besoin d'aller toujours vers la lumière. (*And I turned into sharp black again.*) Je suis en train d'essayer de concilier mes hauts et mes bas. J'essaie de visualiser l'expansion de l'univers, l'espace que cela nous donne. L'espace que ça me donne pour extraire de ma vie ce qui me fait du mal, pour faire le vide, pour accepter le retour au néant. (*How can I be so lost, so terrified for nothing, for that everything called daily life.*) Je me demande si donner un sens au tourbillon aléatoire de la vie m'aiderait, je cherche la chose la plus vraie.

Le bonheur

Plus je le cherche, plus il m'échappe. On me dit que vivre, c'est perpétuellement faire des choix. Il m'est apparu facile de faire le choix d'être heureuse. Il me faut travailler pour maintenir ce choix.

Une pensée

Effacer tout le superflu, les contours pour qu'il ne nous reste plus que le centre lumineux, ce qui nous relie tous, l'humanité vibrante, probablement la chose la plus vraie.

Steven Guilbeault

Directeur de Greenpeace Québec, ce jeune père de famille est un homme de terrain et un militant engagé. Sa philosophie et ses interventions sont fondées sur le principe de l'action directe non violente, contre la dégradation de l'environnement et l'injustice ; il donne en ce sens une cinquantaine de conférences par an.

Dans tout le cosmos, selon nos connaissances actuelles, il n'y a qu'un endroit où la vie a pu évoluer et s'épanouir et c'est ici, sur la Terre. Cette vie que nous tenons trop souvent pour acquise repose pourtant sur un équilibre précaire de plus en plus perturbé par l'activité humaine.

Fonte des glaciers, vague de chaleur meurtrière, augmentation des épidémies, diminution de la couche d'ozone, etc. Il ne se passe pas une journée sans que nous entendions parler des méfaits de la pollution sur la qualité de vie des habitants de la planète et sur leur environnement.

Entendons-nous bien, la planète survivra sans aucun problème aux changements climatiques, à la diminution de la couche d'ozone ou à la surexploitation des ressources naturelles. Ce qui est en jeu, c'est notre propre survie.

Ces dernières années, nous avons pris conscience de l'impact de nos gestes sur l'état de la planète et avons découvert que nos enfants sont les premières victimes de notre irresponsabilité. Du fait qu'ils sont en croissance, ils sont particulièrement vulnérables à la pollution de l'air, de l'eau, aux substances toxiques, etc.

Nous sommes maintenant à la croisée des chemins. Nous ne pouvons plus jouer à l'autruche et faire comme si les problèmes environnementaux n'existaient pas ou encore espérer qu'en les ignorant ils disparaîtront.

Quel héritage allons-nous laisser à nos enfants et à nos petits-enfants ? Une planète en santé et bien portante parce que nous aurons relevé le défi de la restaurer et d'arrêter la roue de la pollution à outrance ou encore une planète de plus en plus malade jusqu'au point de non-retour ? Le choix nous appartient.

Pour ma part, je crois que nous pouvons et devons relever ce défi. Si ce n'est pour nous, faisons-le, à tout le moins, pour ceux et celles qui nous succéderont…

Peu de gens troqueraient le confort de leur voiture pour un vélo et feraient une escale à la garderie et une autre à l'école avant de regagner leur travail, même en hiver.

Il est vraiment un papa pour les jeunes de la rue et leur témoigne un amour inconditionnel.

Père Emmett Johns «Pops»

Après 36 ans de prêtrise dans diverses paroisses de la région de Montréal, c'est dans les rues, à bord de sa roulotte, que le père Emmett Johns décide de devenir «Pops», l'ange gardien qui aide les jeunes démunis à s'en sortir. À l'abri d'urgence «Le Bunker» et au centre de jour «Chez Pops» de l'organisme Dans la rue, les membres de son équipe travaillent sans relâche afin d'atteindre ce but.

Tous les matins, après la messe, ma mère nous préparait le petit déjeuner. Elle s'intéressait à nos voisins, pas juste pour leur parler, mais pour les aider. Ma mère achetait cinq livres de beurre par semaine, on en mangeait peut-être une, puis elle demandait aux voisins de l'aider à se débarrasser de ce surplus de beurre avant qu'il ne soit gâté. Les gens acceptaient avec joie pour deux raisons : ils rendaient service à ma mère, puis le beurre était ce qu'ils n'avaient pas à la maison.

Le Christ a dit : «Vous devez aimer Dieu votre père avec tout votre cœur, âme, esprit et votre prochain comme vous-mêmes.» Je pense que ça, c'est la vie. On voit beaucoup d'égoïsme aujourd'hui, voilà pourquoi il y a tellement de problèmes dans les familles, dans les écoles, à tous les niveaux de la société. C'est parce qu'on laisse les individus seuls, on ne donne pas de coup de main. Nous, ça fait seize ans qu'on donne des hot-dogs à des jeunes de la rue. Ça a l'air de rien un hot-dog, mais avec le hot-dog vient le respect pour la personne. Il y a longtemps que j'ai adopté cette philosophie de ma mère : les gestes parlent plus fort que les paroles.

J'ai une belle histoire à vous raconter. On avait une jeune qui vivait dans la rue et qui était enceinte. Elle avait annoncé à toutes ses amies qu'elle voulait se faire avorter. Un soir, je suis allé au res-taurant avec une bénévole et, par hasard, elle s'y trouvait. On s'est assis en sa compagnie et je lui ai demandé comment ça allait.

– Ben, c'est demain.

Je n'ai pas l'habitude de poser des questions, mais je lui ai quand même demandé pourquoi.

– Mon enfant sera un mulâtre et mes parents ne l'accepteront pas.

Coïncidence ? La bénévole à côté de moi était une mulâtre, très jolie, éduquée, etc. Elle s'est adressée ainsi à la jeune femme :

– Être mulâtre, c'est pas si pire que ça. T'as pas besoin d'aller au salon de bronzage, t'as toujours un beau teint.

Et la fille a finalement gardé son bébé !

La dépression touche beaucoup de nos jeunes. Ils traînent dans la rue, leurs parents ont des problèmes, tout le monde a ses pro-blèmes. Alors, le jeune qui n'en peut plus décide de se suicider. Quand nous mourons, nous mettons nos os, notre habit et tout le reste dans une fosse, mais ce n'est pas nous qui nous mettons dans la fosse. Notre esprit continue à vivre et alors, le suicide n'avance à rien. La vie continue, qu'on l'aime ou qu'on ne l'aime pas. Elle change, mais ne se termine pas. On ne peut pas se tuer, alors l'alter-native dans cette situation pour connaître un certain bonheur dans sa vie, c'est de se tourner vers les autres.

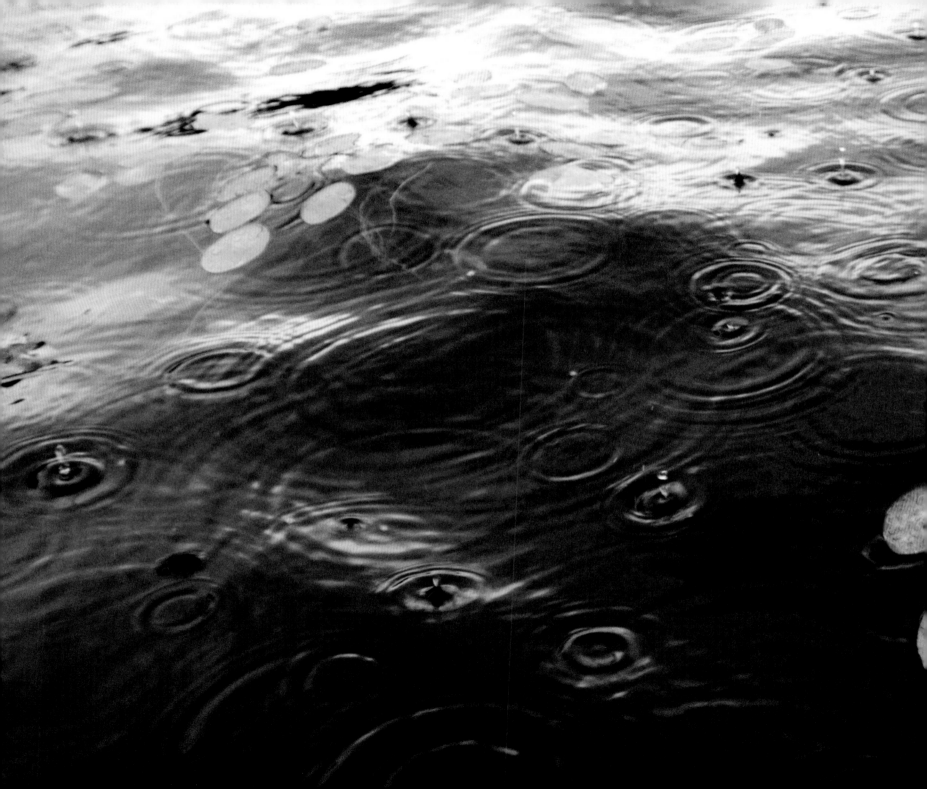

Gilles Kègle

Avec ses bénévoles, cet infirmier de la rue vient en aide aux personnes défavorisées de la ville de Québec ; pour lui, la chose la plus importante est de faire en sorte que chacun ait la chance de se sentir véritablement soutenu et aimé. La fondation Gilles Kègle vise à redonner aux personnes seules ou malades la dignité qu'elles ont perdue.

Quand j'avais quatre ans, une image à l'église captait toute mon attention. Ma grand-mère, avec qui j'allais à la messe tous les dimanches, m'a confié l'histoire de l'image. C'était celle du bon Samaritain. Cela m'avait touché de voir que quelqu'un s'était arrêté près d'une personne blessée, qu'il l'avait soignée et conduite à l'auberge tandis que d'autres l'avaient ignorée. J'avais déclaré à ma grand-mère que c'était ce que je voulais faire. J'ai grandi avec ce désir. À douze ans, j'ai dit à tout le monde que je voulais devenir prêtre, missionnaire et médecin. À vingt-quatre ans, j'ai commencé à faire du travail de rue. Cela fera quarante ans que je me suis libéré en devenant l'esclave des pauvres. Ma santé, mon cœur, ma vie leur appartiennent totalement. Je n'ai pas pris une journée de congé depuis vingt ans, car je crois à ce que je fais. Récemment, j'ai rencontré un psychiatre qui n'en revenait pas de voir que je travaillais quinze heures par jour. « Tu n'as pas peur qu'un moment donné...? » Non, car je suis heureux. On ne peut pas devenir fou lorsqu'on fait ce qu'on aime. La femme qui élève ses enfants ne prend pas de congé. Elle est heureuse et ne devient pas folle pour autant.

Parfois, je me pose la question : « Si Dieu n'existait pas, est-ce que tu ferais le même travail ? » Oui. J'ai trouvé ma mission. C'est de me donner aux autres, de soulager la misère par tous les moyens possibles. C'est aussi simple que ça.

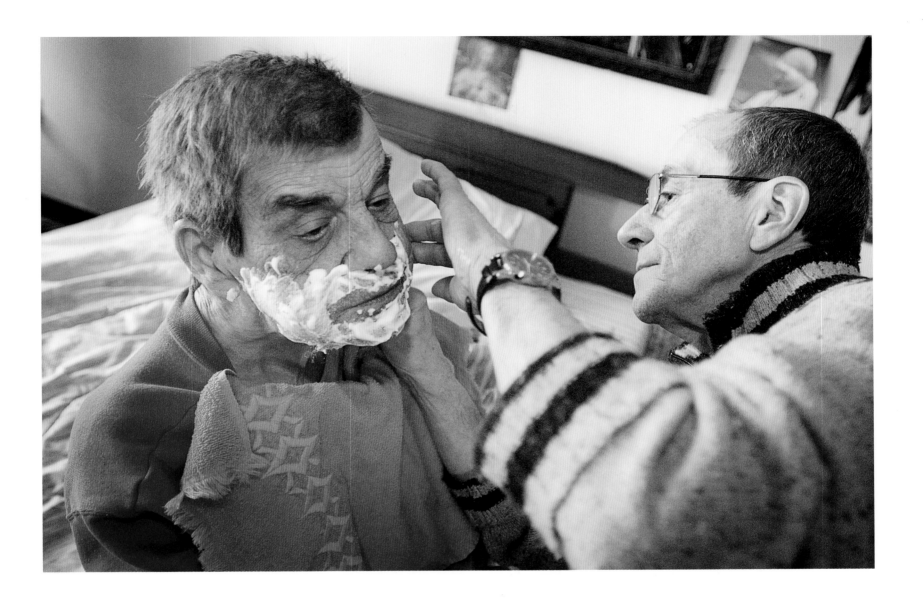

Gaston peut compter sur la visite de la « Mère Teresa » du Québec, comme les quarante autres patients qui reçoivent ses soins chaque jour.

Ce chasseur a fait beaucoup trop de bruit avec ses raquettes dans les phragmites et du coup a effrayé ce qui aurait pu devenir son souper.

Marc Labrèche

Ce grand galopin n'a pas peur de l'absurde, c'est le moins qu'on puisse dire. Comédien générateur d'idées à la hanche légère et au cerveau comme une dynamo, il n'en finit plus de nous faire rigoler. À n'en pas douter, celui qui incarne à la fois Brett, Brenda et Brad dans *Le cœur a ses raisons* est un homme d'exception.

Le sens de la survie...

Il est 7 h 12 du matin, le 2 mars 2006. Le soleil vient à peine de se lever sur la Rive-Sud. Mes enfants et moi n'avons pas mangé depuis treize jours. Je n'ai plus de travail, pas d'argent comptant sur moi, ma carte débit est démagnétisée pour la sixième fois en trois mois et je suis trop gêné d'aller en demander encore une autre à ma caisse. Je dois nourrir ma famille coûte que coûte. Mes enfants ont commencé à délirer; mon fils s'est mis à parler en araméen depuis six jours et, chaque matin, ma fille se laisse abuser à son insu par le camelot de *La Presse* qui semble avoir au moins douze fois son âge. J'ai d'abord voulu m'adonner à la prostitution de rue pour ramasser quelques sous, mais mes nombreux attributs masculins s'avèrent cachés par mes vêtements d'hiver. Puis j'ai joué d'un peu plus de malchance. Le scorbut a gagné mes dents d'en haut et une de mes lèvres. Depuis deux jours, je me déplace en rampant, la gangrène s'étant installée dans mes extrémités jadis si gracieuses. Je sais que je devrai éventuellement m'amputer, mais je ne sais plus quelle partie de mon anatomie charcuter la première. Quant à ma nouvelle odeur corporelle, elle fait fuir un à un tous mes amis. Les plus tenaces m'ont fait leurs adieux en pleurant, même ceux qui me juraient fidélité jusqu'à leur mort. Bref, je n'ai d'autre choix que de chasser pour assurer notre survie. Je chasse dans un parc public de Saint-Lambert. Un furet, un pigeon, une jeune mouffette... N'importe quel siffleux égaré ou même n'importe quel gardien de parc matinal feraient l'affaire. Je trouverai avant la nuit, c'est promis... La situation peut paraître désespérée, mais pour moi, étrangement, la vie ne m'a jamais semblé si merveilleuse. Pour la première fois de mon existence, j'ai une véritable mission. Et je suis heureux. Enfin.

Claire Lamarche

Saison après saison, Claire Lamarche a une place de choix sur nos écrans en écrivant chaque fois une nouvelle page de cette histoire d'amour avec le public qui dure depuis plus de vingt ans. La rigueur, l'objectivité et la fougue de notre reine du talk-show sont les ingrédients de la formule magique qui fait de chacune de ses émissions un classique du genre.

Changer le cours des choses

Il y a tout ce qui fourmille, grouille et s'agite autour de nous, tout ce qui nous sépare, les malentendus, les rancœurs, les drames... Mais chaque fois, à l'émission, qu'une mère retrouve son fils ou qu'une jeune femme court se blottir dans les bras de son père après des années de séparation, pour moi, c'est comme une renaissance. Le cours des choses vient de changer !

Rien n'est jamais coulé dans le béton ! Les rendez-vous manqués, les promesses non tenues qui ont jalonné le passé, n'importent plus, ouvrons les bras ! La vie est courte !

Cette visite de son unique petite-fille, Frédérique, lui aura fait découvrir la ténacité de ce crayon feutre !

Une artiste aussi à l'aise sur sa terre avec une scie mécanique,
un environnement dans lequel on la sent s'imprégner de bonheur.

Micheline Lanctôt

La nature et la musique auront été ses premières amours. À la fois réalisatrice de cinéma et de films d'animation, auteure, productrice, comédienne et metteure en scène, cette femme indéniablement talentueuse enseigne aussi la direction d'acteurs à l'Université Concordia. *La Vraie Nature de Bernadette* et *Sonatine* l'ont révélée autant à l'avant qu'à l'arrière de la caméra.

L'univers insensé

Pourquoi veut-on absolument que la vie ait un sens ? Pourquoi désespérer quand on ne lui en trouve pas ? Il y a des jours où elle en a, des jours où elle n'en a pas. L'univers, lui, continue sa lente expansion vers le néant.

Lorsque je n'arrive pas à me raconter, à nous raconter une histoire — car on nourrit l'illusion que si la vie n'a pas de sens, on peut lui en fabriquer à travers les histoires —, lorsque la bêtise humaine m'anéantit, lorsque le trou béant de la mort m'aspire et m'enlève tout espoir de comprendre, je me dis que la trouille est le moteur du sens. Que notre trouille infinie devant la finitude de toute chose est la cause orgueilleuse de notre quête du sens. Comme si nous n'allions pas finir nous aussi. La belle arrogance.

On a beau se blinder contre la fin en accumulant, en empilant, en luttant, en se reproduisant, je me dis qu'il suffit d'être pour retrouver la juste mesure des choses.

Être comme les arbres, être en tendant vers le haut pour survivre.

C'est à la fois simple et douloureusement difficile.

Être vertical et trouver dans cette verticalité, qui équivaut à se tenir debout, la justification de poursuivre jusqu'à la fin. Lorsque la fin arrive, accepter de se coucher comme les arbres, pour la suite du monde, s'abandonner aux champignons, aux mousses, aux insectes grignotants, avec un pur sentiment, pour une fois, d'humilité.

Bernard Landry

Bernard Landry fut notre vingt-huitième premier ministre. Trilingue, cet homme politique a également été chef du Parti québécois et reste à ce jour une des figures marquantes de ce parti. Il enseigne présentement au département de stratégie des affaires à l'Université du Québec à Montréal et donne sporadiquement des conférences avec la verve qu'on lui connaît.

Pour donner un sens à sa vie, il faut lui donner des buts qui vont au-delà du strict intérêt personnel. Se consacrer à des valeurs comme la famille, la culture, la science, la solidarité socio-économique ou nationale, la défense de l'environnement constitue de bonnes façons d'aller au-delà de soi-même. Il faut servir des choses et des causes qui dépassent notre propre personne.

Ne penser qu'à soi ne peut conduire qu'au malheur, à la tristesse et à l'ennui quels que soient les succès apparents, matériels ou autres que l'on puisse récolter.

Ainsi, paradoxalement, la meilleure façon de ne pas s'oublier soi-même, c'est justement de ne pas penser qu'à soi…

La jeunesse et la souveraineté québécoises à l'heure de la mondialisation, c'est ce dont il était venu parler aux étudiants ce jour-là.

Son chien plus que bizarre, selon ses dires, était collaborateur et content devant l'objectif, mais au fond c'est qu'il voulait être près de son maître.

Jacques Languirand

Philosophe touche-à-tout aux antennes télescopiques, ce réalisateur, metteur en scène, producteur, journaliste et professeur est bien connu du public par son émission *Par 4 chemins*, qui a dépassé le cap des trente-cinq ans à la Première Chaîne de Radio-Canada. Jacques Languirand est sans contredit un boulimique de connaissances.

Le sens consiste à le chercher. Ce disant, je ne suis pas ironique. Je crois au contraire que le sens prend de nombreux visages au cours de la vie.

Le bébé trouve le sens dans le bien-être qu'il éprouve dans les bras de sa mère, au moment de la tétée – dans la sécurité d'abord !

Petit à petit, chacun trouvera le sens de la vie dans un équilibre au moins approximatif entre la sécurité et la stimulation.

Pour parfois le trouver en fin de vie dans le fait même d'être encore vivant.

Tant et si bien qu'on le cherche toute la vie… Et peut-être au-delà.

(Ça n'a pas de sens, tant pis !)

Fraternellement sur la voie – qui bien souvent consiste à la chercher.

Gérald Larose

Gérald Larose est d'abord un indéfectible souverainiste. Défenseur et promoteur des intérêts globaux de la société québécoise, ce diplômé en théologie et en travail social a présidé la Confédération des syndicats nationaux pendant seize ans, un record dans l'histoire de cet organisme. Il est maintenant l'homme à la tête du Conseil de la souveraineté du Québec.

« Vis comme en mourant tu aimerais avoir vécu. » La vie ! La mort ! Inexistantes sans l'une. Innommables sans l'autre. Inséparables toutes deux. Mais ordonnées ! Voilà la clé ! Vieille de 2500 ans, cette maxime confucéenne, encore aujourd'hui, condense à souhait ce qui m'habite.

La Vie vainc la Mort. Je me sais tout pétri de la culture occidentale et chrétienne qui au quotidien me fait entreprendre des combats, surmonter les difficultés et poursuivre la route dans la certitude qu'au bout il y a toujours un plus… de liberté, de solidarité ou de mieux-être. Ainsi la vie donne sens à la mort comme le bonheur au labeur et le mieux-vivre aux petites morts de chaque jour.

Cependant, l'intensité de cette foi se mesure dans le renversement des termes. La mort me force à distinguer l'essentiel de l'accessoire et à hiérarchiser mes valeurs et mes actes. Face à elle, le sens et la reconnaissance supplantent la richesse et le pouvoir. L'être grandit. L'avoir s'amenuise. Sur mon lit de mort que préférerais-je ? Gagner à la loto ou me réconcilier avec une personne aimée ?

« Vis comme en mourant tu aimerais avoir vécu »… dans ton corps, ton cœur et ta tête. Complexe, la vie est tout à la fois faite d'ingrédients matériels, relationnels et intellectuels. Ma vie pleine aura mis en valeur le potentiel de chacune de ces dimensions. J'aime travailler de mes mains (« faire les sucres », cuisiner). J'aime le monde (créer des milieux de vie, réseauter). J'aime contempler (réfléchir, m'extasier).

Je veux vivre comme un amoureux de la nature, des miens et de la vie.

Depuis huit ans, il se réunit avec les siens pour récolter la sève des quelque mille entailles de son érablière, une authentique saga familiale.

Il mange avec beaucoup d'appétit et s'enchante de rénover sa toute dernière cuisine où vont se tourner ses prochaines émissions.

Ricardo Larrivée

Le plus sexy de nos chroniqueurs culinaires déborde d'un enthousiasme et d'une générosité extraordinaires. Papa de trois filles qu'il amène au marché, en voyage et dans les restaurants, Ricardo Larrivée ne fait pas de compromis sur sa vie amoureuse et familiale, et il arrive à conjuguer avec bonheur toutes ses passions.

Très jeune, j'ai commencé à chercher un sens à la vie, un sens à ma vie. J'étudiais dans un collège tenu par des frères et la religion catholique y était très présente. À cette époque, mes grands questionnements trouvaient leurs réponses dans une spiritualité sécurisante transmise par ma famille. J'ai vieilli, ma foi s'est évanouie et tout s'est obscurci. C'est à travers l'autre que je me suis réellement trouvé, que mes aspirations humaines se sont concrétisées.

Il n'y a pas de sens à la vie si ce n'est que d'être présent pour l'autre, de partager son savoir, son amour, de faire en sorte que nos actions, petites ou grandes, améliorent le sort de l'autre.

C'est ce sens du partage qui me fouette lorsque j'ai peur, c'est ce même désir qui me réconforte et me comble de joie lorsque je cuisine pour ceux que j'aime. C'est en offrant le meilleur de soi sans jamais compter que la quête prend son sens, que la course est gagnée.

Richard Martineau

Franc-tireur urbain et véritable feu roulant, ce journaliste, écrivain, chroniqueur radio et télévision préfère avoir des ennemis passionnés plutôt que des amis tièdes. Homme d'opinions, il signe entre autres la chronique « Ondes de choc » dans l'hebdomadaire *Voir Montréal*, où il a longtemps été rédacteur en chef.

Photosynthèse

Pour moi, la vie ressemble au jeu vidéo Myst.

Vous ouvrez les yeux, et vous vous retrouvez dans un paysage étrange, inconnu. Personne ne vous dit quoi faire. Il n'y a aucun règlement, aucun mode d'emploi.

Vous ne savez pas ce que vous devez faire ni ce qu'on attend de vous. Vous ne connaissez pas le but du jeu. Vous ne savez même pas s'il y en a un.

Vous choisissez une direction au hasard, et vous marchez. Vous ouvrez des portes, soulevez des panneaux, à la recherche de qui, de quoi ? Vous n'en avez pas la moindre idée.

Vous tâtonnez, les yeux grands ouverts.

Et après quelque temps, vous commencez à comprendre. Plutôt, vous croyez que vous commencez à comprendre. Vous trouvez un indice ici, une piste là.

Vous êtes comme un détective, à la différence qu'il n'y a ni meurtre, ni victime, ni agresseur. Vous tentez de construire un puzzle, sans pouvoir consulter l'image sur la boîte.

Vous ne savez même pas s'il manque des morceaux.

Réussirez-vous à terminer le casse-tête ? Probablement pas. Mais qu'importe, vous vous agenouillez quand même devant cet amas de petits morceaux, vous en prenez deux et vous tentez de voir s'ils ne s'emboîtent pas l'un dans l'autre.

C'est automatique, instinctif. Un réflexe.

L'homme est ainsi fait. Montrez-lui un nuage, et il tentera d'y voir un visage, une silhouette, un animal.

L'homme est une machine à faire du sens.

Comme les arbres, qui transforment le CO_2 en oxygène, l'homme transforme le chaos en sens. Il fabrique du sens, même là où il n'y en a pas. C'est sa raison de vivre.

Sa photosynthèse.

Qu'importe si le sens qu'il fabrique est vrai ou pas. L'important est d'en fabriquer.

La signification de la vie, c'est de fabriquer de la signification.

Le sens de la vie, c'est de fabriquer du sens.

Voir des visages d'animaux dans les nuages, comme Amélie Poulain. Des drames dans des taches d'encre, des signes du destin dans des coïncidences.

De la raison dans l'arbitraire.

Des symboles, partout.

« La vie pour moi est un aéroport. Seule différence : le nom de la destination n'est pas écrit sur le billet. On ne sait pas où l'avion nous mène... »

Le « vilain vidéaste velu » (dixit Marc Labrèche) et nerdZ a pris son courage à deux mains pour revivre les émotions fortes des manèges de la Ronde.

Patrick Masbourian

Ce réalisateur et communicateur québécois a animé, avec tout le mordant qu'on lui connaît, l'émission *La Revanche des nerdZ* sur ZTélé pendant plus de six ans. Bien qu'il ait porté plusieurs chapeaux dans sa carrière, Patrick Masbourian s'est fait connaître du public alors qu'il sillonnait la planète caméra en main pour *La Course Europe-Asie 1990-1991* à la télévision de Radio-Canada.

Bien sûr, la vie, ça ne vaut rien, mais rien ne vaut la vie… Ces paroles de l'auteur Roger Tabra résonnent dans ma tête depuis que je me pose la question qui fait l'objet de ce livre. J'ai beau chercher, je ne trouve pas de réponse qui transcende ma nature profonde pour m'imprégner de sa radiante et tranquille vérité. Pour moi, la vie n'est rien d'autre qu'un vertige permanent. Celui des grands élans et des petits vides. Celui des espoirs enivrants et des doutes dégrisants.

Le cœur ballant, j'avance comme l'animal aiguisé qui fait confiance à son flair. Seul contre moi, je confronte ma vie et tente de gravir sa paroi rigide avec la souplesse de l'alpiniste. Car, si vérité unique il y a, c'est là-bas tout en haut qu'elle se cache, au sommet de mon être, là où la vue est, paraît-il, exceptionnelle.

Martin Matte

Pour être humoriste, il faut être un peu philosophe. Martin Matte a ce talent de nous parler avec intelligence et sensibilité des situations les plus tragiques en les désamorçant par l'humour. Il s'inspire surtout de ses expériences personnelles et souhaite que d'autres se reconnaîtront par lui et dédramatiseront à leur tour...

On cherche tous à toucher le bonheur le plus souvent possible. Évidemment, ce n'est pas à la portée de tous de me toucher fréquemment… mais bon, il y a d'autres façons.

Il s'agit simplement de mettre la majorité de son énergie dans le travail, de tenter d'accumuler le plus d'argent possible afin de le placer « pour plus tard ». En aucun temps, il ne faut accorder une importance capitale aux personnes qui nous entourent. Ne jamais aider gratuitement. Si par malheur vous avez des enfants, simplement les éviter, leur dire par exemple : « Tu déranges papa avec tes questions, va jouer dans ta chambre. » Cela aidera à éloigner votre enfant de vous et vous évitera d'être témoin privilégié de son développement.

Il faut aussi ne pas écouter. C'est-à-dire avoir l'air d'écouter mais ne pas le faire. Rester fermé aux autres, aux nouveautés. Ne jamais omettre de se sentir coupable. Par exemple, si on prend du temps pour soi.

Bref, ceci peut servir de guide de conduite dans la vie. Croyez-le ou non, il y a une énigme dans le texte. Vous pouvez appliquer ces règles à la lettre ou faire exactement le contraire. Une des deux façons aide à trouver un sens à sa vie, je ne vous dis pas laquelle.

Il n'a rien d'un pêcheur, mais au fond, quelle
importance pour cet homme friand d'ironie ?

C'est sur l'Île d'Orléans qu'il a rejoint sa compagne de vie.

Son jardin, sa serre et son potager l'occupent beaucoup.

Serge Mongeau

C'est par Serge Mongeau, auteur, éditeur et conférencier, que la simplicité volontaire s'est introduite chez nous. Cette philosophie nous invite à nous écarter du courant consumériste. Il en résulte notamment qu'en consommant moins on a besoin de moins d'argent et on a donc davantage de temps pour faire ce qui nous importe vraiment.

Quand je cesse de me croire important, supérieur et même essentiel;

quand j'accepte de reconnaître que je fais partie de la nature, que j'en suis une émanation;

quand je m'arrête à observer les diverses manifestations de la vie et que je ne puis que déborder d'admiration;

alors je commence à comprendre.

Je suis un chaînon dans cette aventure de la vie qui a débuté il y a des milliards d'années.

Le sens de ma vie est la vie.

Mon rôle consiste à assurer sa perpétuation.

J'y contribue de diverses façons
là où je le peux le mieux.

En aidant la vie à s'épanouir,
la vie physique (la nature)
et la vie sociale, car je fais partie d'une espèce sociale.

Réussirai-je ma vie?

Car je vois bien la dérive mortifère de notre monde.

Mais je dois accepter qu'il ne m'incombe pas à moi seul de sauver la vie,
laquelle d'ailleurs peut prendre des avenues tellement imprévisibles.

Alors, jour après jour, j'essaie de favoriser la vie,
et ça me suffit.

Sylvie Moreau

Aussi formidablement à l'aise sur les planches, devant une caméra que dans les coulisses du métier en tant que scénariste, Sylvie Moreau est animée par une énergie contagieuse. Authentique et spontanée, entre *Catherine* et *Circé*, elle chérit son métier parce qu'il lui donne la chance, dit-elle, d'être un meilleur être humain.

Bonne vivante

Pour donner un sens à la vie, il me semble qu'il faut d'abord déterminer le sens de sa propre vie, « l'essence » de sa propre vie. Il faut comprendre ce qui nous définit, ce qui nous rend différent et caractérisé ; chercher à se connaître, s'explorer, s'outiller.

Cela étant, tous les liens sont possibles avec l'extérieur, avec les autres vies qu'on croise sans cesse. Car le sens de la vie est dans les vivants, certainement pas dans ce qui est mort : l'argent, les choses, les concepts, la morale ambiante.

Je choisis donc de m'intéresser aux vivants avant tout. Avant même leurs opinions, leurs erreurs ou nos désaccords...

Un être vivant, c'est déjà plein de ses sens, de questions et de réponses, de liens possibles à créer, d'imagination libre. Soyons de *bons vivants*, nous donnerons ainsi le bon sens à la vie.

La *crazy girl* a quand même osé glisser au Summit Park, se frayant un chemin au travers des arbres.

Il est 8 heures du matin. C'est peut-être vrai que l'avenir appartient aux gens qui se lèvent tôt !

Cora Mussely Tsouflidou

Partie de rien, la fondatrice de Chez Cora déjeuners a révolutionné la gastronomie matinale et est présentement à la tête d'un petit empire représentant un chiffre d'affaires annuel frôlant les quatre-vingts millions de dollars. La chaîne de restaurants de Cora donne du boulot à plus de 2500 personnes à travers le Canada.

Une chose est certaine : nous ne sommes pas d'ici !

Nous sommes comme ces touristes qui font le tour de la Gaspésie pour la première fois : nous émouvant du paysage, photographiant, placotant, rageant des multiples détours ou cherchant éperdument quelque falaise confortable. Nous bourlinguons de cap en cap ; jeunes, en couple, avec des enfants et, bien des fois, seuls à maintenir la voile vers un lendemain encore brumeux. La plupart d'entre nous insistons pour tracer nos initiales à flanc de rocher ; écrire de la poésie sublime, découvrir un remède magique ou, tout simplement, bâtir quelque cent magasins à travers le pays. Nous voulons laisser une marque derrière nous.

— Il est passé ici, diront les humains de demain.

Mais il n'est pas resté.

— Nous ne sommes pas d'ici, conclurons-nous en remontant le fleuve.

Et nous voudrons tous retourner chez nous lorsque, à proximité, l'océan ouvrira sa gueule pour nous boire.

Michel Pageau

Michel Pageau soigne les animaux sauvages blessés, qu'il remet ensuite en liberté. Avec Louise, sa compagne de vie, il a créé à Amos le Refuge Pageau pour héberger ceux qui ne peuvent retourner dans la nature. Sa route, ancien trappeur devenu défenseur de la vie sauvage, est une belle histoire d'amour et de respect.

La vie commence à la naissance avec des parents formidables qui nous accompagnent pendant toute leur vie et même après la mort… et des sœurs et un frère que j'aime beaucoup ; ma femme, mes enfants et mes petits-enfants à qui il faut apprendre à connaître et à aimer la nature, les arbres, les rivières, les lacs et à écouter les chants de la forêt dans les arbres, le chant des oiseaux dans les quatre saisons : hiver, printemps – saison des amours –, l'été – les naissances de tout ce petit monde de la forêt ainsi que leurs chants…

Quand le vent m'emportera, je ne serai plus, et la vie continuera sans moi. Le soleil, la lune, les étoiles, les orages, la pluie, le vent… seront toujours là…

Il y a aussi la pauvreté et la misère.
Mais il faut foncer dans la vie.

À force de passer du temps avec les bêtes, il ne passe plus inaperçu pour ce lynx devenu pensionnaire du refuge.

Un authentique grand-papa en action, en compagnie de sa Wenhniseriioskats, qui signifie en mohawk « journée précieuse ».

Ghislain Picard

Ghislain Picard est le chef régional de l'Assemblée des Premières Nations du Québec et du Labrador. Engagé et dévoué, il est la voix des siens pour la promotion et la défense des droits des peuples autochtones. Au quotidien, son engagement se traduit par des actions concrètes qui rapprochent les communautés de leur objectif d'autonomie.

Shepetetemun qui signifie « estime de soi » en innu.

Les paroles que nous recevons ne dépendent que de notre volonté de les traduire en gestes qui favoriseront notre épanouissement. Voici les miennes.

Je suis né Innu. Mon identité, ma différence, je l'apprécie par ma façon de vivre, de penser, de respirer et aussi par ma façon de regarder le monde autour de moi.

Ce n'est que depuis peu de temps que j'ai acquis toute la fierté de pouvoir vivre pleinement ce que je suis.

Aujourd'hui, si quelqu'un tentait de me convaincre que je suis autre chose, ça ne pourrait pas me froisser, tellement il n'y a pas de retour possible à ce qu'on a jadis essayé de m'imposer.

Certes, la route demeure parsemée d'obstacles que nous avons appris, en tant que peuple, à surmonter. Je suis confiant que nous réussirons à convaincre nos générations qui naissent à un rythme sans précédent du merveilleux défi qui les attend et de leur capacité d'affirmation identitaire contre toute tentative de répression.

Et il n'appartiendra qu'à nous de jeter un regard en arrière et d'apprécier tout le chemin que nous aurons parcouru.

Robert Piché

Le commandant Robert Piché est devenu une personnalité connue le 24 août 2001 après qu'il eut réussi l'atterrissage d'urgence d'un Airbus A-330 aux Açores. Suite à une fuite de carburant massive au-dessus de l'Atlantique, de nuit, qui a entraîné l'arrêt des deux moteurs, il est parvenu à faire planer l'avion pendant dix-huit minutes, avant de poser sains et saufs les 291 passagers et les 10 membres d'équipage.

Réflexion

Je pense que, durant toute son existence, l'être humain tente par tous les moyens, consciemment ou non, de repousser la date de son dernier rendez-vous avec le destin ou tout au moins d'espérer qu'il sera le plus tard possible. Il arrive parfois, entre le début et la fin de cette période, que quelques privilégiés se retrouvent devant une situation où le choix de vivre ou de mourir n'en est plus un. C'est à ce moment précis et seulement à ce moment que l'essence propre de la raison s'unit à l'irrationnel de l'âme pour permettre à cet être humain d'accomplir ce qui aurait pu lui sembler jusqu'alors impossible. Il lui faudra comprendre de cette expérience que le but ultime de sa présence sur terre est l'atteinte d'une sérénité universelle et une quête vers une plénitude réelle, ce qui est, je pense, le propre de la vie de chaque homme.

À bord d'un Cessna : « À l'envers ou à l'endroit la photo ? » a-t-il demandé en blaguant, évidemment.

De conférence en conférence, il se rend aux quatre coins du monde pour parler d'astronomie et d'écologie.

Hubert Reeves

Fascinant parcours, pour un homme qui a débuté sa vie comme spécialiste en physique nucléaire et qui maintenant déconseille l'utilisation de l'énergie nucléaire. Vulgarisateur scientifique, philosophe amoureux de la nature et écrivain, cet astrophysicien spécialiste des premiers instants de l'univers partage sa vie entre le Québec et la France.

Notre vie s'inscrit comme un chapitre d'une très longue histoire, celle de l'univers tout entier. Nous sommes les enfants d'une évolution qui a pris naissance il y a quatorze milliards d'années, et qui se poursuivra encore longtemps après notre disparition. Nous nous interrogeons sur son sens et sur celui de notre implication personnelle. Que faisons-nous ici ? Et pourquoi ?

Je ne crois pas que la réponse à la question du « sens de la vie » soit écrite dans le ciel. Elle se pose à nous comme une réflexion permanente. C'est au travers des expériences personnelles, des bonheurs, des épreuves et des deuils qu'elle s'élabore et donne son orientation aux choix et aux actes de chacun.

Un élément fondamental de cette histoire pour nous, c'est la rencontre. La possibilité qui nous est offerte d'entrer en relation avec d'autres personnes – nos compagnons de voyage – de partager avec eux les joies et les adversités.

La vie est difficile. À tous les niveaux, les malheurs sont profonds : aux conflits personnels, aux guerres et aux oppressions s'ajoutent les catastrophes naturelles : tsunamis, tremblements de terre, etc.

Eric Emmanuel Schmitt raconte comment la musique de Mozart l'a dissuadé de se suicider : « Je ne peux pas quitter la Terre où il y a de si belles choses. » L'homme est « l'artisan du huitième jour », écrit Antonine Maillet, « celui qui peut embellir la réalité ».

Créer de la vie autour de nous, compatir activement à la souffrance des autres me paraissent des gestes qui donnent sens à notre existence. Avec, en filigrane, l'espoir de rendre l'humanité plus humaine.

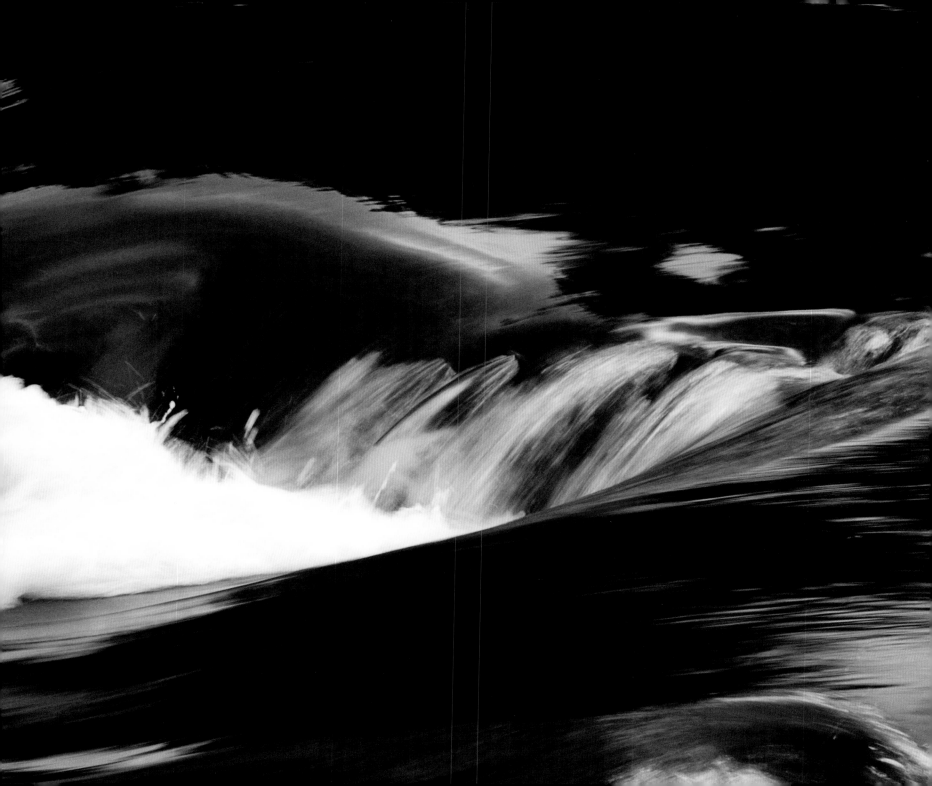

Camille Rochon

Toute petite, elle a déjà dans les yeux cette attention à la vie qu'elle sait éphémère, car Camille Rochon se bat courageusement contre une leucémie lymphoblastique aiguë. Après avoir complété ses traitements médicaux avec succès, la fillette peut présentement souffler et profiter de sa rémission.

Août 2003 • J'ouvre le petit cadenas de mon journal, car la terre vient d'arrêter de tourner. J'ai appris que j'ai la leucémie. Les médecins m'ont dit que cela se traitait. Je vais perdre tous mes cheveux. J'ai peur... Peur des piqûres, de l'hôpital, de la maladie, de la mort, même si je sais que je guérirai. C'est mon but et je l'atteindrai.

Octobre 2003 • Cher journal, cela fait deux semaines que je suis sortie de l'hôpital. J'ai rencontré des personnes merveilleuses. Aujourd'hui, je suis très malade. La radiothérapie et la chimiothérapie ont des effets secondaires. Je n'ai plus de forces dans les jambes, alors j'ai beaucoup de difficulté à marcher. J'aimerais avoir un chien pour m'aider à passer à travers tout ça. Je voudrais aussi avoir un violon. La musique m'aide tellement.

Novembre 2003 • J'ai eu mon chien ! Nous l'avons appelé Zach ! C'est un yorkshire-terrier et il est super beau ! On dirait qu'il me comprend quand je lui parle. Quand j'ai mal, il n'aime pas ça. Il vient me voir et me lèche. Il me suit partout. Il dort même avec moi.

Janvier 2004 • Coucou, il y a deux mois, j'ai eu mon violon. J'ai commencé à prendre des cours. J'adore cet instrument. Quand je joue, je ne pense plus à rien. Ni à la douleur, ni aux piqûres, ni à la maladie.

Mars 2004 • Allo, cette semaine, je suis allée à l'école même si c'est à la maison. J'ai assisté à une conférence donnée par Georges Brossard, l'entomologiste réputé. Il m'a offert un Morpho bleu. Il y a un film inspiré de l'histoire vraie d'un jeune garçon atteint d'un cancer qui rêvait d'attraper ce joli papillon. Cette belle rencontre m'a donné des ailes.

Avril 2004 • Aujourd'hui, j'ai donné une conférence devant deux cents élèves de cinquième et sixième année, pour leur parler de la leucémie. De cette manière, quand je retournerai à l'école, ils en connaîtront un peu plus sur moi.

Été 2005 • Cher journal, j'ai presque fini mes traitements. Je les termine au mois d'octobre. Je veux réussir à l'école et devenir vétérinaire, infirmière, ambulancière ou musicienne. Grâce à une fondation qui offre un rêve à plusieurs enfants malades, je vais bientôt aller en Australie.

Octobre 2005 • Hourra ! J'ai réussi ! Après plus de deux ans, les traitements sont terminés ! Quel soulagement ! Tu ne peux pas savoir à quel point ça fait du bien de ne plus se rendre à l'hôpital toutes les semaines, de ne plus recevoir d'injections.

Mars 2006 • Je reviens d'Australie ! J'y suis allée avec mes parents et mon frère. Ma première activité a été un zoo de nuit. À cet endroit, j'ai pu nourrir des kangourous et tenir dans mes bras un koala ! Mon plus grand rêve ! Puis, nous sommes allés dans la forêt tropicale, la moitié était sur la terre et l'autre sur l'eau. Ensuite, nous sommes allés voir des aborigènes. Ils nous ont expliqué leurs croyances, leurs coutumes, comment jouer du didjeridoo et lancer le boomerang. J'ai fait un voyage extraordinaire !

Tu sais, je n'aurais jamais imaginé que la maladie pouvait m'apporter autant. J'ai vécu des moments difficiles et d'autres merveilleux. Cette épreuve m'a fait grandir et apprécier encore plus la vie. Même quand j'étais très malade, je n'ai jamais pensé abandonner. Sais-tu pourquoi ? Parce qu'il y a une petite voix en moi qui me disait de ne pas lâcher. J'aime la vie, elle vaut la peine d'être vécue. C'est ma vie à moi. Je ne la changerais pas pour une autre et que je sois malade n'y change rien.

« J'aime le son du violon, mais aussi la tendresse
et le réconfort qu'il me procure. »

Au lendemain d'une réception entre amis, à la Saint-Valentin, elle prend le temps d'apprécier une douce orchidée.

Andrée Ruffo

Elle a passé vingt années au Tribunal de la jeunesse de la Cour du Québec. Ex-juge, elle milite depuis toujours pour la protection des enfants. Courageuse et rebelle, cette grande dame s'intéresse particulièrement aux rapports entre droit des enfants et psychanalyse. En 1994, Andrée Ruffo a créé le Bureau international des droits des enfants.

J'ai eu la chance, ou plutôt la très grande chance, de naître dans une famille qui croyait à la justice, à l'égalité, aux enfants. Il était impensable de côtoyer la souffrance sans tenter de la soulager, « sans jugement » ; on avait mal, il fallait agir ; on avait besoin, il fallait aider.

J'ai également eu le bonheur de vivre dans un milieu qui soutenait ces valeurs. Les religieuses, mes « mères spiri-tuelles », ont nourri cette foi par leur exemple et leur enseignement. La route était tracée. Inconsciemment, je l'ai suivie avec tout mon cœur, ma tête, en y laissant un peu de ma santé : cela valait la peine. Ça, j'en suis certaine.

Le sens à la vie, c'est tout simplement avancer sur le chemin qui nous permet d'aller au bout de soi-même, accom-plissant notre destinée dans l'amour. Il s'agira pour cela de développer au maximum les talents, de trouver les trésors que l'on porte à l'intérieur de soi, pour les mettre au service des autres avec amour dans le partage et la solidarité. Pour moi, cette quête s'appelle justice pour les enfants, c'est-à-dire une exigence sans réserve pour que chaque enfant dispose des moyens nécessaires pour aller au bout de lui-même. Justice, égalité, solidarité qui nous conduiront à la paix.

À travers notre histoire, nous devenons toujours un peu plus nous-mêmes, tentant de nous surpasser jusqu'à l'accomplissement, avec une volonté puissante, agissante, opiniâtre. Il s'agit tout simplement de notre propre naissance à l'humanité par la solidarité, nous rendant aptes à vivre en société.

Je refuse que l'on accepte la résignation, car je suis convaincue que l'égalité est le fondement de la liberté et de la justice, seules garantes de la paix intérieure comme de la paix dans le monde.

Cette quête de sens à la vie, je la partage avec tous les enfants, toutes les femmes, tous les hommes de la terre. Je me souhaite seulement de continuer à y croire, et jusqu'à la fin de mes jours de témoigner de l'espérance qui m'habite et de ma foi dans notre commune capacité de renouvellement.

En quête d'absolu. Rêvant de paix, de partage et d'amour. Nous pouvons revendiquer notre grandeur d'êtres humains, si différents et pourtant si semblables. « Insensé celui qui croit que je ne suis pas toi. »

Ève Salvail

On la reconnaît surtout à ce dragon chinois qu'elle a de tatoué à l'arrière du crâne. Avec l'agence Montage depuis toujours, Ève a foulé tous les grands podiums du monde : elle est sans nul doute la Québécoise qui s'est le plus illustrée en mode internationale. Un peu actrice, un peu *business*, elle vit maintenant à New York, et y exerce le métier de disque-jokey.

Quand j'étais petite, je me posais souvent la question : Qui suis-je ? Ève ou quelqu'un d'autre ? Qu'est-ce qui me différencie des autres ? De façon tangible, je peux palper mon torse, les muscles sous ma peau, mais qui est l'âme qui habite en moi et qu'est-ce qui me distingue des autres êtres humains ?

Je n'ai toujours pas la réponse à cette question qui me hante, qui suis-je ? Et pourquoi / comment existe-t-elle, cette personne qui est moi ?

Aujourd'hui, je crois que le sens de la vie est l'amour. Il m'a fallu vingt-neuf ans pour pouvoir dire : « Je t'aime. »

J'ai perdu, j'ai gagné souvent, mais je n'ai jamais été si proche de cette réalité qui fait que je suis ici, debout, et que cette vie n'est pas juste un rêve.

Regarder une feuille qui vole au vent de mon imagination est plus gratifiant que d'atteindre une place sur un piédestal. J'envisage mon propre petit monde libre de contraintes et soudainement me retrouve chronométrant le temps qui passe, baignant encore dans ces contraintes jusqu'au cou.

M'enfin… La vie n'est pas qu'un rêve ou une réalité atténuée. Je me tiens ici, debout, bien droite et prête à perdre à chaque jour. Parce que perdre (pour moi) peut signifier gagner la connaissance et la connaissance m'importe plus que le pouvoir. Je sais ce que je vaux.

O.K. … de retour au sens de la vie…

L'amour.

Je cajole ce que j'ai aujourd'hui, mais je refuse de vivre dans la peur de le perdre, parce que ce serait gâcher le temps qui file trop vite… le temps qui m'est donné ici avec vous, avec toi.

Si la vie est de perdre et de gagner, comme un jeu, nous jouons en espérant être vainqueur à la fin, mais en sachant que le processus est la partie la plus importante. Je ne suis pas disposée à m'étendre comme morte avant la fin.

La vie est un beau combat. J'enfile mon armure. Et je marche vers le champ de bataille avec détermination et fierté.

De passage à Montréal pour l'événement *Défi tête rasée*, une présence qu'elle s'impose par solidarité envers les enfants atteints de cancer.

Entraînement oblige, plusieurs fois par semaine, pour cette athlète qui raffole toujours de son sport.

Kim St-Pierre

À huit ans, elle troque ses jupes de patinage artistique pour des jambières de gardienne de but. Résultat : elle fait maintenant partie de l'équipe canadienne de hockey féminin. Kim St-Pierre n'a pas perdu de temps et a déjà décroché deux médailles d'or aux Jeux olympiques.

Première période • Dès mes tout premiers coups de patin, j'ai senti une grande passion s'éveiller. Le hockey est en moi un jeu, un moment de plaisir. On se rassemble, tous les enfants du quartier, sur la patinoire extérieure derrière la maison. On joue pendant plusieurs heures. C'est le bonheur total ! Je demande à mes parents de m'inscrire dans une « vraie » équipe de hockey. J'ai la chance d'enfiler mon premier chandail de hockey à l'âge de huit ans avec les garçons. Dans ma tête, je crois être la seule fille au monde qui pratique ce sport. Dès ma deuxième saison, je choisis l'équipement de gardien de but, sans savoir dans quelle aventure je me lance… Je rêve de la Ligue nationale de hockey !

Deuxième période • Après quelques saisons chez les garçons, je réalise mon potentiel. Le hockey prend de plus en plus d'importance dans ma vie. Je joue maintenant du hockey très compétitif et sérieux. Je participe à plusieurs tournois à travers la province. J'ai toujours autant de plaisir avec mes coéquipiers. À un certain point, je me dois d'oublier la LNH… Malgré tout, je poursuis mon ascension dans le hockey masculin jusque dans les rangs juniors. À l'âge de dix-huit ans, j'accepte l'offre de l'Université McGill et j'y poursuis mes études pour faire la transition au hockey féminin… sans savoir, encore une fois, dans quelle aventure je me lance… Je rêve maintenant de porter l'uniforme de l'équipe canadienne de hockey féminin aux Jeux olympiques.

Troisième période • Je me présente à mon premier camp d'entraînement de l'équipe canadienne en 1998. Je suis très anxieuse. Je patine avec plusieurs grandes joueuses : France Saint-Louis, Danielle Goyette, Hayley Wickenheiser… Je suis si près de mon rêve, mais d'un autre côté, si loin… Je suis prête à fournir tous les efforts nécessaires. On m'offre une chance, je la saisis. Je porte maintenant un chandail aux couleurs du Canada ! Le hockey est la passion qui me mène au bout de mes rêves. Je participe à mes premiers Jeux olympiques en 2002 à Salt Lake City. Résultat : une médaille d'or ! Grâce à ma détermination, ma persévérance et mon amour pour le sport, je me taille une place au sein de l'équipe olympique pour Turin 2006. Une deuxième médaille d'or à mon cou… Je rêve maintenant d'une troisième participation olympique… Et d'une carrière dans le monde des affaires.

Prolongation • Le sport a été pour moi une école de vie et continuera de l'être ! Une grande aventure avec des hauts et des bas, tantôt la victoire, tantôt la défaite, tantôt l'euphorie, tantôt la déception, mais toujours heureuse dans un sport qui me comble sur tous les plans.

Bruny Surin

Homme d'affaires et multi-médaillé olympique, Bruny Surin a tiré sa révérence sur sa longue carrière d'athlète professionnel avec la certitude d'avoir toujours donné le meilleur de lui-même. À travers la fondation qui porte son nom, il tient maintenant à transmettre son amour du sport et le goût du dépassement aux plus jeunes.

Prendre conscience du temps...

La vie a toujours été un sprint pour moi. Défier le temps était une obsession. Courir plus vite, toujours plus vite. Courir après qui ? Courir pourquoi ? Courir pour qui ? Ce sont toutes des questions qui me venaient à l'esprit en début de saison d'entraînement quand je m'adonnais à de longues séances de courses, de musculation, d'étirements pour bien préparer mon corps à pousser au maximum dans les blocs de départ, pour avoir une bonne mise en action et accélérer comme un avion F12 au décollage ; jusqu'à ce que mon corps me dise qu'il n'en peut plus, et là, on lui demande de maintenir cette vitesse acquise pour quelques secondes jusqu'à la ligne d'arrivée. Ces courses sont ultra-rapides, en même temps on y retrouve tellement de détails et on est tellement concentré qu'on atteint un état alpha. On vit la course au ralenti. C'est une impression inexplicable, il faut quasiment le vivre pour bien comprendre.

J'ai passé la moitié de mon existence à être dans cet état, mais aujourd'hui je veux prendre mon temps, le temps de respirer, de voir grandir mes enfants, d'être un bon père de famille, de prendre le temps d'apprécier la vie, sinon...

Quel serait le sens de la vie ?

Improvisation sprint ; la cause est l'eau glaciale
de sa piscine pas encore chauffée pour l'été.

Malgré un froid de −15 °C, elle s'est emmitouflée
et présentée coquette pour sa balade sur la montagne.

Janine Sutto

Qui a été aussi présent que Janine Sutto sur les scènes québécoises et au petit écran depuis soixante-cinq ans ? Œuvres du répertoire classique, comédies légères, téléthéâtres, téléromans, cinéma... on en perd certainement le compte. Une énergie peu commune anime cette femme qui s'occupe de sa fille trisomique le jour et trouve le temps de jouer au théâtre le soir.

Arrivés à un certain âge et pour nous faire pardonner d'être encore là... je crois qu'on peut se permettre quelques constatations.

À mon avis, la vie n'a de sens qu'en la partageant ; oui, le partage est essentiel pour chacun de nous.

Si vous êtes seul, plus de famille, plus d'amis, partagez avec un chien, un chat, un oiseau, un poisson ou mieux avec des personnes encore plus seules que vous et dont vous pouvez peut-être adoucir l'existence.

Attention, n'en profitez pas pour commander tout le monde, enrégimenter les autres !

Je vous laisse cette superbe pensée d'un grand philosophe chinois : « Tant que tu ne peux pardonner aux autres d'être différents de toi, tu es encore bien loin sur le chemin de la sagesse. »

Commencez dès maintenant, c'est très très difficile. Mais le résultat est garanti. Quel bonheur pour vous et pour les autres !

Claire Thiboutot

Claire Thiboutot assure d'une main de maître la direction de Stella, organisme voué à l'amélioration des conditions de vie et de travail des travailleuses du sexe. Avec ses complices, elle s'est donné comme mission de démystifier ce milieu et de défendre les droits humains des femmes qui y travaillent ; une cause qui est aussi un mouvement international.

Pour accroître sa force, il faut mettre sa foi en action. Voilà ce qu'affirmait ce maître japonais d'aïkido dont je suivais les leçons il y a plusieurs années. Ma pratique des arts martiaux n'a peut-être pas duré très longtemps, mais cette petite phrase m'est restée. Elle me guide souvent, dans les moments de fatigue et de découragement, les jours où exiger le respect, la protection et la réalisation des droits humains des putes équivaut à exiger l'impossible. Les jours où la tâche semble dépasser toutes mes forces, où l'incompréhension et la stigmatisation m'apparaissent infranchissables, tels les murs et les barbelés des prisons où plusieurs d'entre nous sont encore enfermées, ici et ailleurs. Les jours où on essaie de me convaincre que le respect de nos droits à la santé, à la sécurité et à la dignité doit être lié à la disparition éventuelle de notre gagne-pain. Il faut comprendre que c'est depuis Marie-Madeleine au moins qu'on nous promet le salut à condition de s'en sortir. Ces jours-là, ma foi dans l'atteinte d'une plus grande justice sociale, ma croyance en l'absolue nécessité qu'il en soit autrement en termes de conditions de travail et de droits humains pour les dizaines de milliers de travailleuses du sexe qui travaillent ici et maintenant me donnent la force et le courage de continuer et de persévérer. Ça, combiné avec le soutien de ma famille et de mes collègues, le rire de mes amis autour d'un succulent repas, l'affection de ma chienne Misha et tous mes refuges : ma maison, mon jardin, mes bouquins, un bon bain chaud, le plaisir et le repos dans les bras de mon amoure.

Patrick Zabé avait raison : « Passe-moi la serviette, mon peignoir japonais. Ah puis non c'est trop bête, pourquoi j'en sortirais ? Ah ! ç'qu'on est bien quand on est dans son bain ! »

À l'abri chez lui, il se délecte particulièrement de lecture, un passe-temps qui permet de déconnecter de la réalité.

Réjean Thomas

Président fondateur de Médecins du Monde Canada et de la Clinique médicale l'Actuel, son expérience de clinicien et d'intervenant sur le terrain lui a permis d'acquérir une réputation qui dépasse nos frontières. Par l'écriture, l'enseignement, la prévention et la recherche, il mène une lutte opiniâtre et dévouée aux préjugés dont les porteurs du VIH sont victimes.

La vie n'a pas de sens...

Et c'est pour cette raison qu'elle vaut la peine d'être vécue !

Lorsque je suis en vacances et que, roulant sur une route de campagne, j'arrive à une intersection, je me donne le droit d'aller à droite ou à gauche ou même de rebrousser chemin si cela me plaît. Pour moi, il en va de même avec la vie. Elle n'a pas de sens, pas de direction, elle ne se présente surtout pas comme une carte routière qu'il suffirait de suivre à la lettre pour arriver à bon port. En fait, contrairement à ce que l'on a cru pendant trop longtemps, il n'y a pas de port. Privés de guide, il revient donc à chacun de nous ou à nous tous collectivement, à travers un plan de vie ou un projet de société, de tracer l'itinéraire que l'on voudra bien suivre. Évidemment, ce n'est pas toujours facile. Les risques de se perdre sont *omniprésents*. Cela peut causer des craintes, des peurs, de l'angoisse et parfois donner le vertige. Mais c'est le prix à payer pour être libre et maîtriser sa vie.

Car elle est là, la question : l'être humain est libre ou il ne l'est pas. Il faut choisir. Si l'on penche pour la première option, alors il faut oublier les notions de fatalité, de destin, de prédétermination et de salut suprême. Il faut également prendre à la légère les diseuses de bonne aventure de même que l'horoscope du matin... Accepter que la vie n'a pas de sens, c'est en quelque sorte lui dire oui dans ce qu'elle est, la prendre à bras-le-corps pour l'embrasser dans ce qu'elle a de terrestre et de temporel. Dire oui à la vie, c'est assumer pleinement les conséquences de nos actes et comprendre également, dans un ultime effort de lucidité, que le passager d'à côté se trouve dans la même galère que nous et que le parcours que l'on fait ensemble sera beaucoup plus intéressant si chacun accepte de se préoccuper du bien-être de l'autre, le temps que dure ce voyage.

Cardinal
Jean-Claude Turcotte

Archevêque du diocèse de Montréal, le cardinal Jean-Claude Turcotte est membre du Collège des cardinaux depuis 1994. Possédant une expérience humaine et spirituelle unique, il a participé au conclave qui a élu Benoît XVI. Personnage très médiatisé bien à l'aise sous les feux des projecteurs, sa chronique hebdomadaire dans *Le Journal de Montréal* est très connue.

L'itinéraire de la vie

Il est naturel de se poser des questions. Le petit enfant qui découvre le monde a la tête remplie de pourquoi, et toute notre vie nous demeurons avec des pourquoi. Pourquoi la vie? Pourquoi la souffrance? Pourquoi le mal? Pourquoi la mort? Pourquoi sommes-nous ici sur terre?

Quand je regarde notre monde, je constate que le pire et le meilleur existent. À côté des génocides de la haine et des destructions par les plus forts, il y a aussi des hommes et des femmes qui se mettent au service de la vie, de la justice et de la paix. Au service de l'amour.

Les idéologies, la science, la technique nous ont promis, chacune en leur temps et à leur façon, la réalisation de soi, la réponse à nos questions et la concrétisation de nos rêves. En un mot, le bonheur. Pourtant, en regardant vivre notre monde, l'homme ou la femme moderne est loin de l'avoir trouvé. Au contraire, l'un et l'autre expriment souvent une insatisfaction devant la vie. Pour certains, vivre est même devenu un tourment et le suicide, une délivrance. La vie n'a-t-elle pas un sens pour qu'il soit si difficile de la vivre et de la vivre heureuse?

Pour ma part, la foi en Dieu vient donner un sens à ma vie, et à la vie. J'ai la conviction que Dieu est à l'origine et à la fin de la vie. La raison ultime de l'existence. Il a tracé un itinéraire à l'homme que son Fils Jésus de Nazareth a suivi comme tout homme. De la naissance au trépas. Sa vie, sa mort, sa résurrection des morts, son message me guident aujourd'hui. Pour qui accepte Jésus comme Dieu avec nous, l'Emmanuel, la vie ne cesse pas d'être parsemée de joies et de peines, de succès et d'échecs, de questions et de réponses, d'ombre et de lumière. Mais quand les brouillards de l'existence se font plus épais et que nous devenons comme des frêles barques sur l'océan, le sens de la vie trouvé en Jésus permet de garder le cap sur le port de l'autre rive de la vie.

Le sens de la vie, c'est cette boussole qui nous permet d'aller toujours dans la direction de la réalisation de soi et de notre contribution à la collectivité. Et c'est en vivant le message de Jésus, transmis dans les Évangiles, que nous pouvons orienter notre boussole et découvrir combien la vie vaut la peine d'être vécue.

C'est son quinzième anniversaire comme archevêque de Montréal
lors de la fête patronale à la Cathédrale Marie-Reine-du-Monde.

Une autre journée sous le signe de l'action.

En effet, il avait une énergie inépuisable !

Armand Vaillancourt

Pour ce géant passionné, il n'existe aucune véritable barrière. Maître sculpteur et peintre, Armand Vaillancourt poursuit depuis toujours une quête dénonçant toutes les formes d'injustice, de violence et de racisme. Particulièrement proche des jeunes, il ne compte ni son temps ni ses engagements.

Pourquoi la vie pourquoi la mort ?

Picasso disait : « Tous les enfants sont créateurs, mais le problème c'est de le rester. »

Mercredi, 3 heures du matin, ce 24 mai 2006.

Un orignal se fait abattre dans la forêt au moment où il va à la rivière s'abreuver.
Kennedy donne l'assaut pour écraser Fidel Castro à la baie des Cochons.
Deux autos viennent de faire un face-à-face.
Des escadrons de la mort s'acharnent sur de pauvres innocents.
Les habitants de cette terre qui n'arrêtent pas de faire un voyage stupide et en même temps merveilleux.
Des millions d'enfants et d'adultes meurent de faim et de soif et de maladies bénignes qu'on pourrait sauver grâce à quelques dollars.
Ces religions, depuis le début des temps, qui n'ont apporté que misère, soumission aveugle et qui sont responsables de tant de massacres.

Il faut vaincre la peur, la dominer, purifier ses pensées, éloigner de nous l'arrogance, s'unir avec la jeunesse pleine d'espoir pour que tous leurs rêves deviennent réalité. Il faut plus de passion positive, plus de compréhension, d'attachement véritable à la vie, à l'amour. Pour ce faire, des siècles devront se passer, des lunes devront faire place à d'autres lunes. Il est environ 5 heures du matin. Je suis dans un appartement au troisième étage. Joanne dort. Alexis, notre fils qu'on aime, dort lui aussi. Tout semble au repos dehors sauf dans la cime des arbres : pleins de feuilles bien vertes, belles à en mourir ; des oiseaux gazouillent face à l'été qui s'en vient. Alexis, vers 7 h 15, se lèvera pour aller à l'école. Ses rêves comme les nôtres sans relâche prendront le pavé de l'espérance et du doute. On ne peut pas sauver toute l'humanité, mais on peut semer l'espoir autour de nous en construisant sans cesse nos avenirs. Faire de chacun de nos jours une parcelle infinie de l'humanité. Sauvons ce qu'il est encore possible de sauver. Soyons de vrais créateurs, c'est notre rôle ultime, semons ensemble. L'enfance est la sève de l'art et c'est ce qu'il y a de plus beau. Rêvons à une planète où règneront la paix, la justice, la tolérance, la différence, la complicité, la richesse de l'esprit, la complémentarité jusqu'à l'extrême. Notre moi changé en Nous. Le don de soi dans le quotidien. Le respect sans équivoque des autres, qui sont en fait une part de nous.

Il est plus de 6 heures du matin. Le soleil se lève à travers les cimes des arbres. Rebonjour la vie, rebonjour la mort, rebonjour.

121

Guillaume Vigneault

Certainement l'une de nos jeunes plumes les plus rafraîchissantes, il a écrit de limpides et amoureuses histoires de voyages intérieurs : *Carnets de naufrage* (Boréal, 2000) et *Chercher le vent* (Boréal, 2001). Ce dernier roman a d'ailleurs été primé au Québec et en France. Guillaume Vigneault ajoute définitivement le talent de romancier à la longue liste des dons et réalisations de la famille Vigneault.

Je préfère m'arrêter au sens d'une journée, au sens d'un éclat de rire, au sens d'un regard. Mais aussi au sens d'une perte, d'une mauvaise chute dans l'escalier glacé, d'une engueulade. Je m'efforce de voir ces sens-là d'abord, de les enfiler un à un, patiemment, comme peut-être des coquillages qu'on enfile sur une ficelle pour se faire un collier. Mon sens de la vie à moi, c'est un peu ça : une breloque confectionnée par le hasard. Et par moi aussi un peu, car il faut bien se pencher pour les ramasser, ces trucs-là qui traînent dans le sable. *Se pencher*, je me plais à imaginer que ça veut dire quatre choses. Penser. Sentir. Faire. Aimer. Ce sont mes verbes à moi ; les autres ne sont que déclinaisons.

Je ne verrai jamais la breloque en entier, achevée, prête à être nouée à un poignet, à une cheville. Je vais bien l'échapper en cours de route. On l'échappe tous un jour ou l'autre. Je n'en apprécierai jamais pleinement l'harmonie échevelée ou la triste insignifiance. Ce qu'il advient de la breloque après nous, franchement, ce n'est pas de nos affaires. Peut-être qu'il n'en advient rien, que la mer ravale ses coquillages en toute indifférence. Je préfère croire que non. Mais même si tel était le cas, je n'aurai pas perdu mon temps. Parce que, pendant que certains cherchaient des trésors de flibustiers, moi j'ai trouvé des coquillages.

De maille en maille, c'est entre autres dans son arrière-cour qu'il tisse les chapitres de ses romans.

Remerciements

Nos plus sincères remerciements à vous tous qui avez contribué à donner un sens à notre vie.

La générosité et la sensibilité des 46 personnalités
sans qui le projet n'aurait pu exister.

L'équipe de la maison d'édition Fides
pour nous avoir témoigné sa confiance.

Marie-Paule Duquette, Pascale Bussières et le Dispensaire diététique de Montréal
pour leur étroite collaboration.

La famille et les amis
pour leur écoute et leur soutien indispensable.

Aline Brisson et René Guimond, Marie-Claude Bélisle, Annie Clément, Robert Daneau, Joël Gaudreau, Alexandre Ghoussoub et Clothilde Bariteau, Nathalie Guimond, Isabelle Kapsaskis, Josée Larivée, Gilles Longpré, Raja Ouali et Christophe Chemin, maître Heurtel et matante Monique, mister Brent.

Les amoureux de la photographie
pour leurs encouragements et leurs précieux conseils.

Georges Aubin, Jean-Michel Bourque, Julie Durocher, Martin Girard, Patrice Halley, Patrick Lavoie, Michel Saint-Pierre.

Les patients
qui ont été intermédiaires entre nous et les personnalités.

Andrée Bolduc, Isabelle Brouillette, Manon Brosseau, Nadia Canova, Céline Chaput, Louise Colette, Brigitte Coutu, Ninon Daigle, Rachel Daigle, Clode Deguise, Catherine Desgagnés, Julie Desgagnés, Nicole Dumais, Nataly Gilbert, Louise Jokisch, Annie Kanapé, Stéphane Letirant, Lucie Martineau, Odette Morin, Nathalie Pageau, Diane Rhéault, Mélanie Robichaud, André Saint-Pierre, Nathalie Schneider, Marie Vanasse.

Les courageux
pour nous avoir accompagnées lors d'une séance photo.

Gaston Allaire, Morgane et Édouard Blais-Guilbeault, Vincent Chaput, Marco Doucet, Frédérique Fairbairn, Kim Lan, Joanie Leclerc, Nathanaël, le nouveau-né et sa mère Isabelle Sicre, Wenhniseriioskats.

Les permissifs
qui nous ont donné accès à ces lieux.

Danielle Châtillon du Parc national des Îles-de-Boucherville, Le Club sportif MAA, Nathalie Cooke et Valérie Perron de La Ronde, Rémi Cusach et Jérôme Edmond de A.L.M. Par Avion inc., Les Foufounes Électriques, Anne Marcotte de l'Aéroport international Pierre-Elliott-Trudeau de Montréal, le professeur Chérif Milky, Claude Ricard d'Arbre en arbre, l'école Samajam de Montréal, Claude Thériault de Bitumar, Ali et Ghaleb du dépanneur Varin.

Les partenaires
qui nous ont accordé leur support financier essentiel à la réalisation de ce projet.

Robert Bouthillier et Isolation Confort
L.L. Lozeau ltée
Daniel Turp, député de Mercier
La Fondation du maire de Montréal
pour la Jeunesse et Yves Agouri